KB033481

용이 비를 내리는 나라

용이 비를 내리는 나라

3부

4

글·그림 썸머

D&C WEBTOON Biz

※ 원작의 설정을 살리고자 맞춤법에 따르지 않은 부분과 비속어 표현이 있습니다.

※ 이 책은 웹툰 「용이 비를 내리는 나라」 164~180화 연재분 원고의 편집본입니다.

차 례

22화

…그때,

아주 짧은
찰나였지만
분명히 느꼈다.

그것이
내 아이에게서
무언가를
탐색하고 있었어.

아마 '그게'
아란으로
변장하면서까지
내 궁에 나타난
이유일 터.

천하에
거리낄 것이
없는 존재가
굳이
그런 방식으로
은밀히 접근해
왔다는 것은….
어찌 됐든
밝히고 싶지 않은
일이라는 거겠지.

태자와 호국룡은
사이가 좋아 보이지
않았다.

아주 재미있는
농담이었어,
라한의 황태자여.

호국룡의
저런 돌발행동은
사전에 태자에게
전혀 공유되고
있는 것 같지 않아.

그때 호국룡이
혼란한 황궁에
태자를 남겨 두고

바로 스우를 쫓아
궁을 떠난 것이
그 증거일 터.

결국
스우가 역린이다.

충분히
무너뜨릴 수
있어.

역시 최근 신궁에 드나들고 있는 것은 린 가주가 맞습니다.
곧 신궁에서 린 가문을 필두로 천명제를 올릴 것이라 합니다.
드디어 만백성에게 호국룡의 존재를 공표하겠다는 거군.

그런데… 심어둔 자가 아주 내밀한 곳까지는 살피지 못하여
호국룡과 별개로 차기 궁주가 따로 준비된 듯하다는군요….

그게 스우라고 생각하면 그간 이상했던 것들이 전부 앞뒤가 맞아.
그보다 아이는? 말한 대로 잘 준비하고 있느냐?

…예. 다만 워낙 몸이 작으셔서….
시일 내에 말씀하신 만큼 가능할지는 모르겠습니다….
피 같은 건 얼마든지 다시 생기잖아. 재생력도 있는데 뭐가 문제야?
내 딸이라면 후일 황제가 되고 내게 감사할 거다.

슬슬 그쪽도…
내 기우제를 망친 것에 대한 대가를 치러야지.

이쪽도 나름 대비해 두긴 했습니다만….

린 가주가 하도 깐깐해서요.
정말 최소한의 병력만 간신히 배치한 것입니다.

신성한 의식이니 제단 앞에서 절대 무장할 수 없다느니 시끄럽다고요.

유사시엔 호국룡의 힘을 믿고 있어서겠지.
무사히 의식을 마치는 게 우선이니 최대한 뜻대로 해 줘라.

린 가주는 어쨌든 차기 궁주로 거론되는 스우 님이 천명제에 불참해야 한다는 것이 불만인 겁니다.
감히 신궁에 월권을 행사한다며 추후에 문제를 삼아올 수도 있어요.

그래서 내 명령이 마음에 들지 않는다고?
뭘 또 그렇게까지 비약하시나요….

어차피 스우 님은 호국룡께서 지켜 주실 텐데 굳이 명분을 줄 필요가 있습니까?

필요라면 충분하다.
스우는 소창천을 오래 알아 왔기에 그녀를 과대평가하는 경향이 있어.

문제는 소창천도
그걸 알고 있다는 거야.
수를 읽히기가
너무 쉬워.

그녀가
천명제를 노리고 있다면
스우의 대처마저
판에 짜 넣었을
가능성이 크다.

스우 자체가
그녀의 말이 될 가능성이
충분하다는 뜻이야.
조금의 가능성도
배제하는 것이 나아.

거기 누구냐?

당장 나와라.
지금 튀어나오면 고통 없이 죽여 주마.

…….

스우!!

스우,
일어나 봐.
우웅…
아 왜요…. 어차피 이제 린 가주도 안 오고…
천명제까지 제가 할 것도 없잖아요.

벌써 해가 중천에 떴는데?
그러니까 알 게 뭐냐고….
스우랑 같이 갈 곳이 있단 말이야.

토할 것 같은데…. 중요한 곳이에요?
데굴…
그냥 코앞… 그렇게 중요한 덴 아닌데….
아침까지 병나발을 분 스우

귀찮은데 그냥 이대로 팟 하고 순식간에 갔다 오면 안 돼요…?
앗, 그래도 돼?

울렁거려서
싫다더니….
나야 이게 편해서
좋지만.
약
짝
그야 다짜고짜
성 꼭대기로
불러내니까…

그렇죠….

…벌써 시각이
오(午)시가 지났거늘
다음 궁주 되실 분 차림새가
참 보기 좋습니다, 그래.

이, 이 인원이
어떻게 중요한 자리가
아닌 거예요?!
스우가 제일
자주 보기 쉬운
인간들만 있잖아.

내가 불렀어.
사하라 님이?
꾹
아무리 생각해도 라한의 국사인 천명제에서 궁주가 될 스우를 배제하는 건 용납할 수 없어서.

아니, 전….
왜 같은 이야기를 두 번 해야 하지?

안전을 위해서 어쩔 수 없는 일이야. 스우도 동의한 사항이다.
스우는 동의한 게 아니야. 네 뜻에 반대하지 않은 거지.

마음이 약해서
네 억지에
맞춰 주었을 뿐.

호국룡.
말씀을 가려 하실
필요가 있을 것
같군요.
됐다.
나서지 마라.

스우에게도
스우의 일이 있어.
네 입맛대로
훼방 놓지 마.

웃음
스우도
같은 생각인
건가요?
스우를
압박하지 마!
목소리에
웃음기가
전혀 없어….

스우의 존재도
드러내고,
안전도 확보할
방법이라면 있어.

내가
스우로 변해서
의식을 진행하면 돼.

우려하던
그대로네요.

이러다 신궁이
너무 큰 힘을
갖게 되는 것
아닐까요?
용을 깨우려 한 건
단순히 즉위를 위한
수단이었을
뿐이었는데.

아무리 신궁이
절대 중립이라지만
호국룡은 제멋대로에
인간도 아니고….

이번처럼
특수한 경우에는
후사 문제도 관여해
올 수도 있고…
어찌 됐든
즉위하시게
되면….

최대한 혼인을
서두르시는 게
좋겠습니다.

그렇게 대놓고
언짢은 티를
낼 줄이야….

천명제 건은
차기 궁주가 될
스우에게
일임하겠습니다.
린 가주와 호국룡께서
기꺼이 지혜를
빌려주실 테니
믿고 부탁드리지요.

신궁의 뜻이
그리 명확하다면
이 이상
의견을 나누는 것도
시간 낭비겠군요.

잠깐,
전 그렇게까지….

어차피 호국룡께서 지켜 주실 테니 걱정하실 필요 없지 않습니까.

다음에 뵙는 건 천명제에서겠군요.
만인 앞에서 궁주로서 바로 서는 모습 고대하고 있겠습니다.

으….
흥. 우리가 알아서 할 테니까 얼른 가 버려!

깊게 생각할 것 없습니다.

즉위의 명분이 될 신궁의 지지는 필요하지만,
동시에 신궁 역시 견제해야 할 세력 중 하나인지라 저런 태도인 겁니다.

황제가 죽기 전까지 그는 거의 폐태자와 다름없지 않았습니까?
이제 와서 즉위한다 해도 힘을 실어 줄 외척이 없지요.
외척이라면…. 아직 '진가'가 있지 않나요?

진가는 멸문 직전입니다.
애초에 그리 대단한 가문도 아니었을뿐더러 태자의 생모인 진비도 그렇게 죽었으니….
짐작하건대 화륜 태자는 아마 무사히 즉위하자마자….

곧바로 황후를
맞이할 겁니다.

…웃….

이상할 정도로
상상이
너무 잘 돼.

그가 진심으로
누군가를 사랑할 거란
생각은 들지 않지만….
자신에게
주어진 길에서는
의무를 다하는
사람이니까.

나를 궁주로
만들고자 하는 것도
사하라 님을
쉽게 통제하고,
신궁을
보다 편하게
이용하기
위해서고….

그렇다 해서
내게 보여 준 진심까지
의심하는 건 아니다.

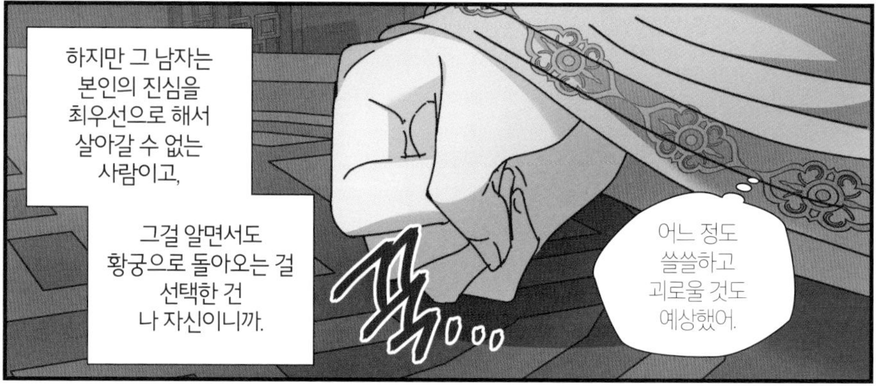
하지만 그 남자는
본인의 진심을
최우선으로 해서
살아갈 수 없는
사람이고,
그걸 알면서도
황궁으로 돌아오는 걸
선택한 건
나 자신이니까.
꽉...
어느 정도
쓸쓸하고
괴로울 것도
예상했어.

울컥
그렇다 쳐도
나한테 너무
차갑게 대하는 거
아니야?!

짜증 나!!
콸
콸

호국룡?

이 시간에
어쩐 일로?
볼일이 있는 건
황태자 하나다.
나머지는 물러가라.

필요하면 부를 테니 물러나라.
예, 전하.

그래, 이 시간에 무슨 일이지?
비천한 인간에게 한 가지 충고를 해 주러 왔다.

네 앞에서 보이는 스우의 태도가 전부 진심일 거라고 생각하지 마.

스우의 마음까진 어쩔 수 없지만,
그렇다고 해서 네가 스우를 함부로 휘두르는 건 봐줄 생각 없어.

스우는 네 앞에서
괜찮지 않다는 말
같은 건 절대 안 해.
그러니까
알아서 의심하고
행동해.

너 이 자식,
한 번만 더
스우를 울리면….
콱
스우가
울었다고?

그래!
아주 맨날
눈물 바람이다.
네놈 자식 때문에!

그따위
시답잖은 소리
들어 줄 시간 없으니,
꺼져.
탁

스우가 병들면
난 네 남은 인생을
죽는 것보다 끔찍하게
만들어 줄 거야.

몇십 년
살지도 못하는
인간 주제에….

어차피 이제
대체품도 있겠다,
빨리 죽어 버려.
파삭

대체품….

라한의 용이
수백 년 만에
만백성에게
모습을 드러내는

천명제의
날이 밝는다.

23화

제례의 시작을 알리는 타징 후에는 호국룡께서 뜻대로 행하시면 됩니다.
제단은 신성하기 때문에 호국룡 단 한 분만이 홀로 올라서시는데….

가까운 곳에 있을 테니 무슨 일이 생긴다면 바로 하명해 주십시오.
뭐, 그럴 일이 없어야겠지.

옳으신 말씀입니다.

스우, 왔구나.

몇 번을 봐도 적응이 안 되네.
어때?

스우랑 꽤
잘 어울리지?
분명히
얼굴은 똑같은데
다른 사람을 보는 거
같달까….
린 가주가
그렇게 쪼아대던
'비굴한 분위기'가
없다는 게
이런 느낌인가?

이 정도로
치장해야 하는 거면
사람을 좀 더 쓰면
좋았을 텐데요….
난 좀 더
화려한 게
취향이지만.
짠~
아직 호국룡과
직접 접촉하는 인간은
적은 편이 좋습니다.

궁주께서는
여기.

이걸
착용하십시오.

천명제에서는
궁주를 제외한
모든 인간은 얼굴을
드러낼 수 없습니다.
황궁은 금실,
신궁은 은실,
그 외로는 청실이
수 놓인 천으로 얼굴을
가려야 합니다.
복잡하네….

태자가
한발 물러선 것도
이 때문이겠죠.
위장할 수 있으니.

그러니 푹
가리세요.
안 그래도
행동거지는
영락없는 시종이니
절대 들키지
않을 겁니다.

피차 잘됐지.

이 몸을
노리고 오는 자는
내가 확실하게
제거할 수 있으니까.
스우는
안전한 곳에 숨어서
지켜보기만 해.

꿀꺽..
…정말로

모든 일이
그렇게
잘 풀릴까?
아뢰옵기 황공하오나
궁 밖 상황이 그렇게
낙관적이지는
않습니다.

귀비의
지난 기우제 실패로
황궁 제례에 대한
신뢰가 떨어진지라….
아아,
그거….

무지한 인간들이
호국룡의 신성을
의심하여도
부디 관용을 베풀어
주시기를.
신경 쓸 것 없다.
어차피
하늘을 올려다보면
전부 이해될 테니.

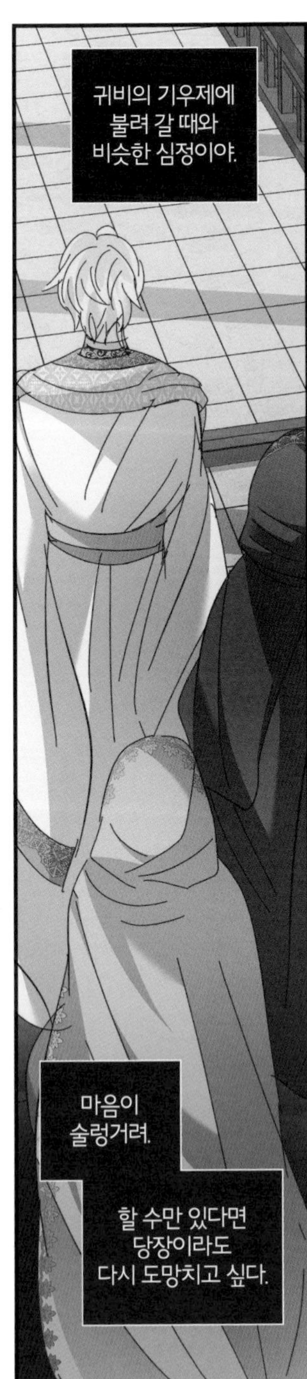
귀비의 기우제에
불려 갈 때와
비슷한 심정이야.
마음이
술렁거려.
할 수만 있다면
당장이라도
다시 도망치고 싶다.

왜 이렇게
불안하지?
귀비가
두려워서?
두근..

아냐,
그도 그렇지만
그보다 좀 더….
…저기.

…스우,
왜 그래?

…저,

두근

두근

저는
역시….

좀 더
본능적으로
느껴지는….

두근

…늦었어,
스우.

두근

이제 받아들여.

수련도
그렇게 했어.

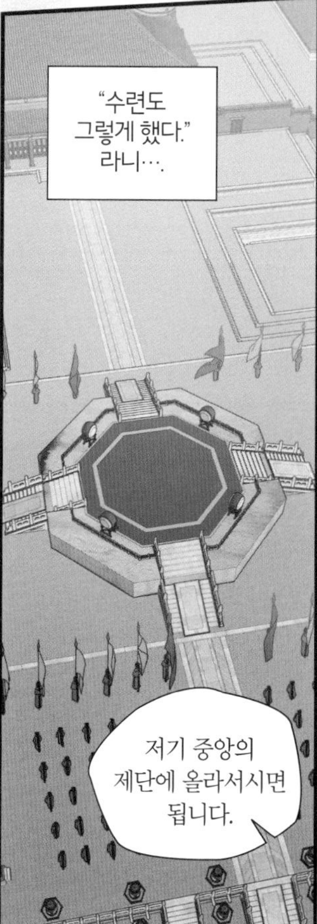
“수련도
그렇게 했다.”
라니….
저기 중앙의
제단에 올라서시면
됩니다.

자리하시면
곧바로
시작하겠습니다.
알았다.

저쪽은
황족들인가….

흘끔

저기
어딘가에 화륜도
있을 텐데….

스우 님.
!!

견룡….
이런,
모처럼 위장하셨는데
그렇게 쉽게
반응하시면 안 되죠.
시간이 없으니
용건만 빠르게
전달드리겠습니다.

태자 전하께서
역시 마음이 놓이지
않으신다며
곁에 희건을
호위로 두라
명하셨습니다.

스우 님과 같은
궁인 행색이니,
눈에 띄지
않을 겁니다.
그럼 전하께서
위험해지시지
않을까요?

전하께서는
저쪽에 호위가 엄중한
황족들 사이에 계시고
저도 곁을 지킬 것이니
걱정하지 마세요.
스우 님께서는
부디 스스로를
지킬 생각만 하라
전하셨습니다.

…잠깐 전하와
이야기하고 싶은데,
짧게라도
어렵겠지요?

그야 어렵습니다.
모처럼의 위장이
탄로 날 거예요.
부디
참아 주시기를.
중요한 안건이라면
이 호정이 대신
말씀 올리겠습니다.

…그렇다면
대신 전해 주세요.

만약 저한테
무슨 일이
생기더라도…

이 의식을
중지해서는
안 된다고요.

…한 자도
빠트리지 않고 그대로
전해 드리겠습니다.
그럼, 부디
몸조심하시기를.
거기서
뭘 하시는 겁니까.

태자 전하께서
호위 한 분을
붙여 주셔서요….
지금 가려던
참이었습니다.
…호위?

…….
무장을 엄금하니
육환장을 들려
보내는구먼….

어쩔 수 없으니
따라오십시오.
꾸벅
감사합니다….
매사 의욕이
없는 분이셔서 결코
튀지 않을 거예요.

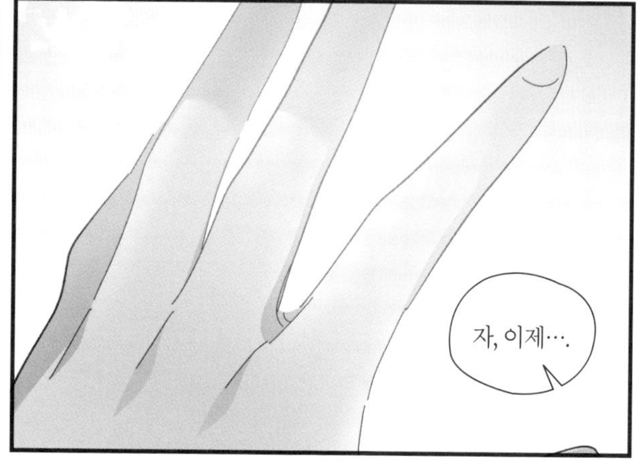
자, 이제….

시간이
되었습니다.

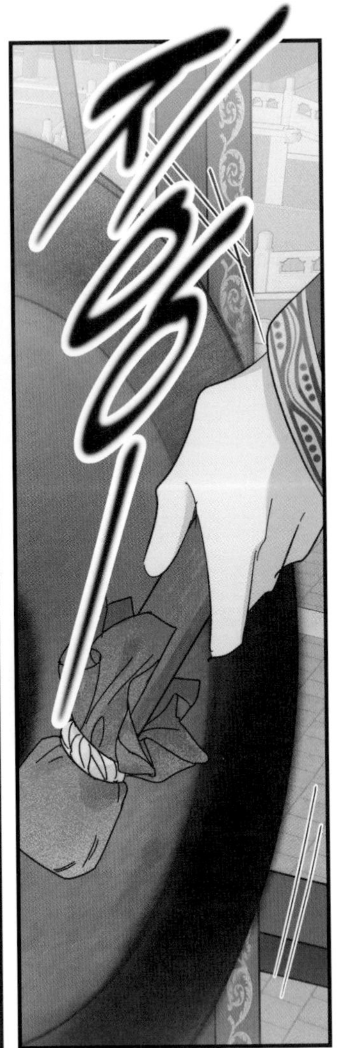
지잉—

지잉—

이상하다, 아까까지 쨍하니 맑았는데….
마치 구름이 어딘가로 일제히 모이는 것 같아.

구름 안에서
뭐가 움직이는데…?!
다들
저길 봐요!!

용께서
마을 위를
지나가고 계셔!!

신궁에서 제사를 지내니 어쩌니 하던데 그건가?!
오오….

부디 라한에 오래오래 머물러 주십시오….

…그렇게 잘난 척할 만도 하네요.

태자 전하나 궁주의 신성력을 어릴 때부터 가깝게 보고 자라서인지
말해 봤자 아무도 안 믿어 줄 일엔 익숙해졌다고 생각했는데….
이미 황궁 밖의 백성들은 난리가 났을지도요.

저게 마지막에 스우 님의 몸으로 전부 빨려 들어간다고 했던가요?

재수 없지만 용이 좋긴 좋네요.

진짜 빨려 들어가는 건 아니야.

실제로 하늘에는
아무것도 없으니까.
이건 호국룡이
보여 주는 환상이자
정신 지배야.

예전에 호국룡이
마을 하나를
통째로 점거해서
스우와
이상한 연극을 하며
살고 있을 때부터
느낀 거지만….
호국룡은
가짜를 진짜처럼
보이게 하는 게
특기인 것 같아.
어쨌든
그땐 마을 하나였고
지금은
제도 전역이니,
이 정도 범위라면
호국룡도
꽤 집중하고
있을 거야.

…정말
괜찮은 건가?

아까부터
발밑에
그림자가….

상당히
집중하고 계신
듯합니다.

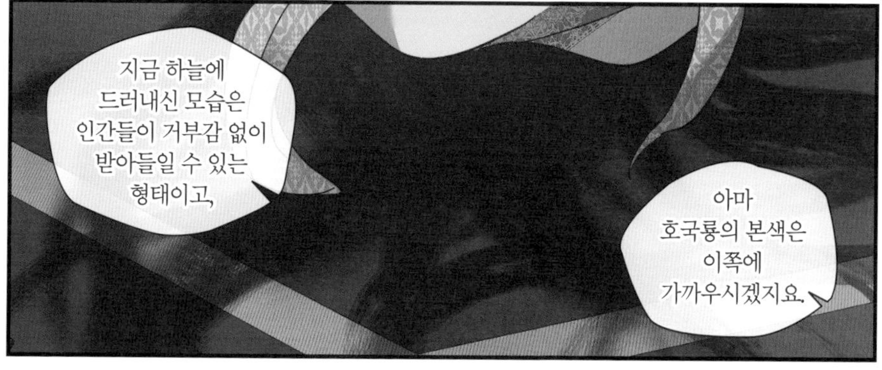
지금 하늘에
드러내신 모습은
인간들이 거부감 없이
받아들일 수 있는
형태이고,
아마
호국룡의 본색은
이쪽에
가까우시겠지요.

무지몽매한 인간이
놀랄까 배려해 주시는
그 아량….
아, 예….

어디선가
달콤한 향이
흘러 온다….

…어라?

성벽 쪽인가?

순간
수련이라고
생각했어….

이 제장에
수련이
있어서인가?

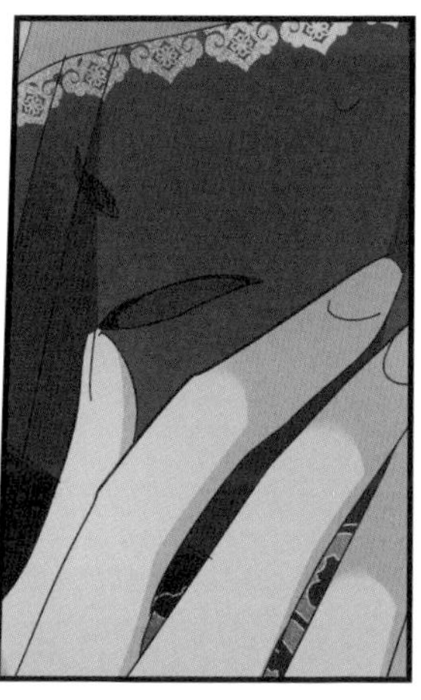

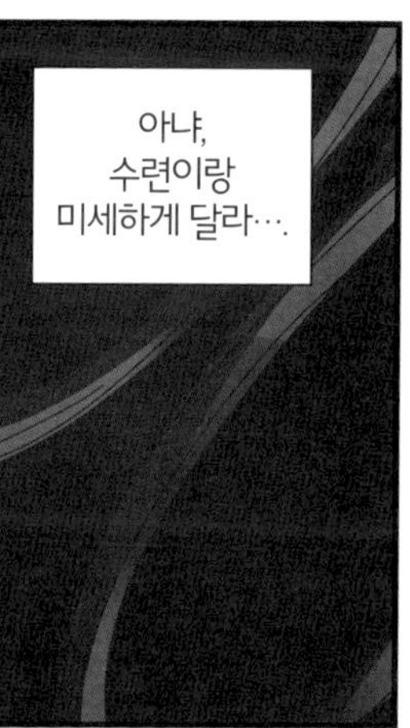
아냐,
수련이랑
미세하게 달라….

귀비의
아이다!
귀비의 아이가
성벽 어딘가에 있어!

아직
아무도 눈치채지
못한 건가?
하긴, 이 향은
나랑 사하라 님밖에
못 맡는 거였나….
설마 귀비가
스스로 아이를
어떻게 한 건
아니겠지….
아이를 잃으면
모든 게 물거품이니
절대 그럴 리는 없어.
그걸로는
온몸의 피를 다 빼는
정도가 아니면
무리일걸.

하지만 귀비가
다른 방법을
발견한 건 아닐까?
사하라 님을,
나를 죽일
다른 방법을….

어떡하지?
사하라 님이나
화륜에게
알려야 하나?
하지만
함정이라면….

명심해,
스우.

내가
네 운명이야.

내가
할 수 있는 건

너도
할 수 있어.

희건 님,
죄송한데 잠깐
함께 가 주세요!!

?! 갑자기
어디를…!!
린 가주님!
무슨 일이 있어도
식을 중단해서는
안 됩니다!
뭐….

직접
확인하는 게
제일 빨라.

이 옅은 향의
근원지를
남들은
느끼지 못해.

그나저나
정말 수련이랑
비슷한 향이네….
마치
수련이 두 명
있는 것 같아서
기분 나빠….

성벽에
가까워질수록
향이 강해진다.
틀림없이
위에 있어!

헉….

거기 누구냐!!
있다!!
아이도 있어!!
희건 님은 저 자를
쫓아가 주세요!!
앗!
도망간다!
후다닥

심문해야 하니
절대 죽이시면
안 돼요!!
저는 아이 쪽을
살펴보겠습니다!!

이걸로
증거를 잡으면
일이 훨씬
간단해진다.
!!

엄청 빠르게
제압했네….
크….

무슨 짓이냐!!
주아란!

주아란이
직접 움직이다니,
그렇다면 역시
이건….

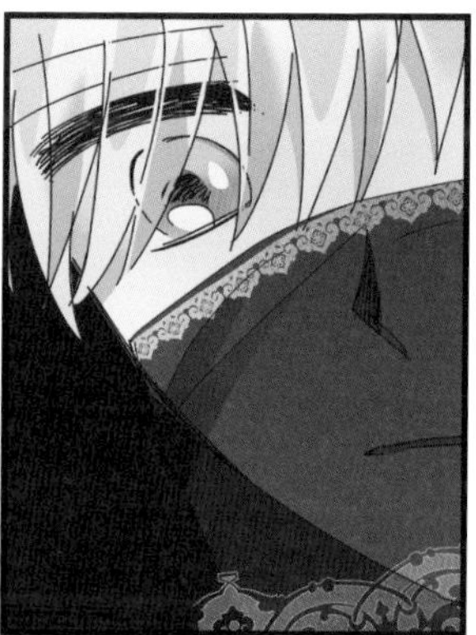

아악!!
?!

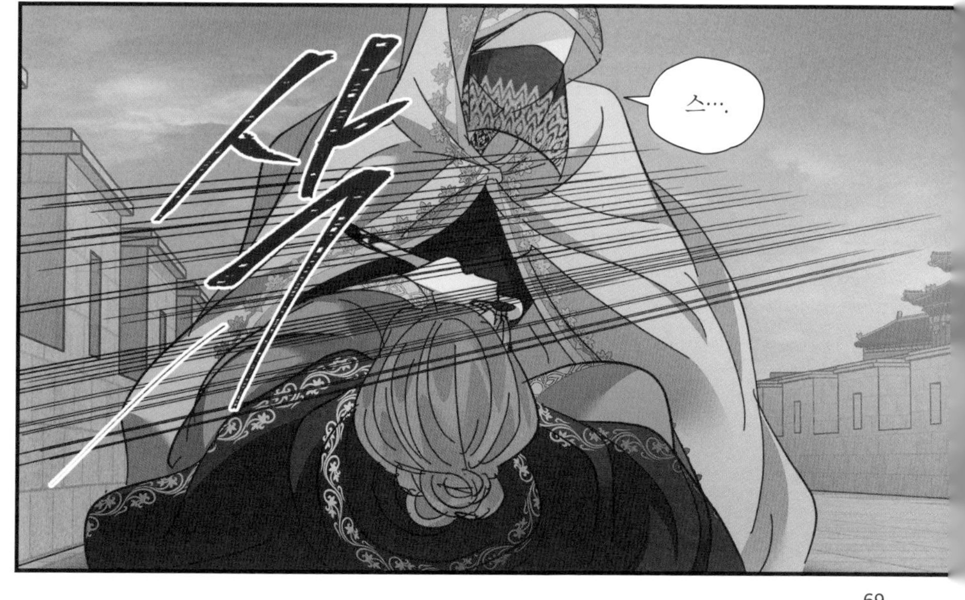
스….

우욱….

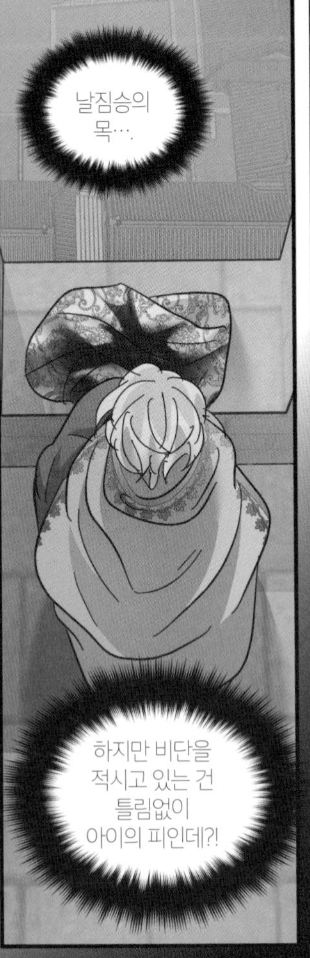
날짐승의
목…
하지만 비단을
적시고 있는 건
틀림없이
아이의 피인데?!

그렇다는 건….
스우!!
그쪽이
함정입니다!

독이 묻은 비수를
들고 있어요!!!
조심하십시오!!

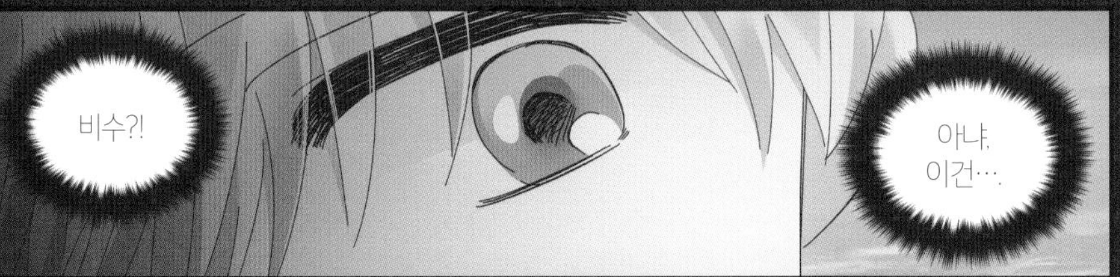
비수?!
아냐.
이건….

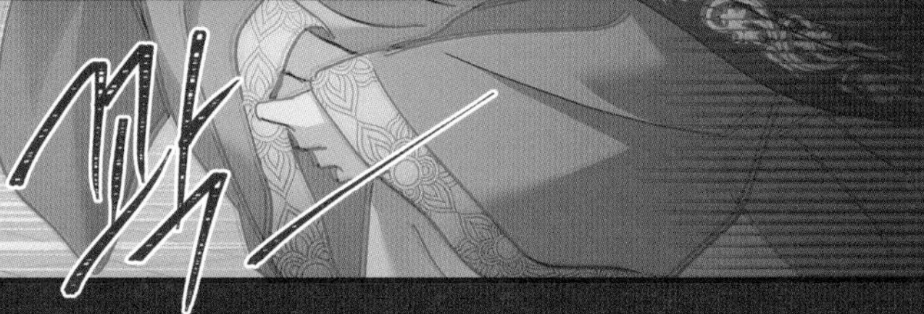

동반 투신….

아….

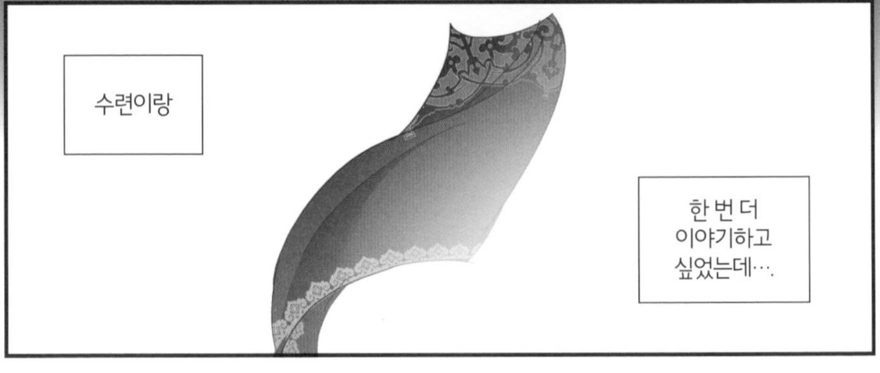
수련이랑
한 번 더
이야기하고
싶었는데….

기왕이면 스우 쪽을 잡고 싶었는데요.
뭐라도 잡은 게 다행이죠….
하아….

24화

화륜….
일단 어떻게든 살긴 했는데…
지금 수련이 여기 있어도 되는 거야?!

천명제에서
태자가 자리를
비우다니,
이 사실이
알려지면….

천화륜,
네놈이
미쳤구나.

알려질 일
없을 테니
걱정할 것 없다.
스우,
괜찮습니까?

지금
끌어올릴 테니
죽는 한이 있어도
주아란을 놓으면
안 됩니다.
에잇,
이거 놔라!!
악!! 주 여관!!
한 번만
살려 주세요!!
자존심 없는
스우

자신만만하게 말한 것치고는 괴로워 보이는구나.
보통 사람이라면 바로 죽어야 하는 독이니, 당연하겠지.
부들
뇌라, 이 천한 것아!! 숨이 막힌단 말이다!!
독?!
눈을 베였구나.
어깨가 나간 건 그렇다 쳐도….
그래서 회복이 느린 거야.
어차피 떨어지면 죽는데, 무슨 상관이에요?!

황가의 재생력도 시간은 필요한 모양이지?
함께 떨어져 죽어 준다니 역시 귀비마마는 복이 많으신 분이야.

스르륵
점, 점점 흘러내려….
만약 이대로 떨어지면….

당연한 소리지만 절대 살아날 수 없겠지.
성벽 밖이라 금방 소란스러워지지는 않을 것 같다는 것이 그나마 다행인가?

잠깐만?
지금 이 몸과
장난치자는
겁니까?
하지만
이러다 당신까지
떨어질 수는
없잖아요!
당신한테
무슨 일이 생기면
다 끝장이라고요!!
태자 주제에
견룡인
척이나 하고,
이 바보!!

'바보'…?
어, 어쨌든
저한테 다
방법이 있어요!!

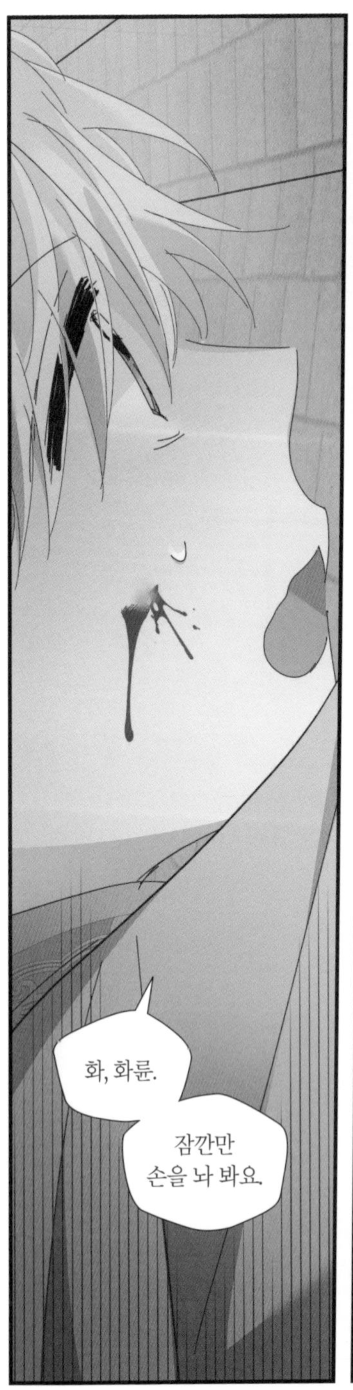
화, 화륜.
잠깐만
손을 놔 봐요.

사하라 님한테 파파팟 이동하는 걸 저도 배웠거든요!
끄으윽… 놔라, 이놈들아….
목조름
훽
꾹
+흉부 압박

그렇게 잘난 분이 지금 왜 매달려 있으신지?
역시 안 믿는군.

그렇게 쉽게 될 리가 없지.
사하라 님과 달리 나는 정말로 궁지에 몰려야만 간신히 발현하는 느낌이었어.

그리고 지금은 이상하게 차분하다.

아니 오히려…
너무 오래 매달려 있었다는 생각이 들 정도야.

삶이라는 것에….
아….

주아란이
기절했다.
정말이에요!
바닥에 부딪히기 전에
가능할 것 같으니까
한 번만 놔 봐요!!
안 돼.
이 이상의 무게는
수련도 못 버틸 거야.

놨다가
실패하면?

다른 사람도 아니고
제 앞에서
투신을 하겠다고요?
스우가 그 정도로
절 싫어하고 있을 줄은
몰랐네요.

목소리가
떨려….
안 돼.

큭….
몸도
기울고 있어.

실패하면….
더 이상 지체하면
정말로 같이
떨어진다!!

사하라 님께
미안하다고
전해 주세요.

역시 사람
잘못 본 것
같다고요.

그, 그렇지만 사하라 님이 그런 나사 빠진 용으로 현현한 것은
당신이 집요하게 저주한 탓도 크니까 자업자득이라고 생각하고 앞으로는 싸우지 말고 잘 보살펴 주세요!!

아, 그리고 당신도 즉위하는 거 미리 축하해요.

뭐라고 말해도 소용없습니다.
꾹...

그때도,
그 순간에도….
어째서 그렇게 쉽게 놓쳐 버린 건지,
몇 번이고 생각하면서 후회했어요.

아니, 그리고 왜 저한테는 그렇게 덤처럼 간단한 인사만 남기는 겁니까?!
당신'도'라니, 너무하다는 생각 안 합니까?!!
어차피 당신은 제가 없어도 황제가 되어서 혼인하고 애 낳고 잘살 거잖아요!!

이 상황에서 이런 말 좀 그렇지만…

그렇다 해도 여전히 나는 당신이 좋아요.

그러니까
너무 원망하지
말아요.
팟

아,
진짜 떨어진다.

사하라 님 거짓말쟁이….
내가 할 수 있긴 뭘 할 수 있다는 거야.
펄럭…

왜,
스우!!!
꽉
나도 모르게
그렇게
중얼거렸던 것 같다.

이렇게
사랑하는데,
항상
울게 되는 건
어째서일까.
이렇게나
사랑하는데.

쏴아아...

툭
투둑

깼어요?
계속 열이 너무 나서 걱정했어요….

아무리 눕혀도
기를 쓰고 일어나서
벽에 기대앉더라고요.
방어 본능
같은 건가 싶어서
내버려 뒀는데….

아, 그보다
어떻게 된
거냐면….
…전부
기억납니다.

하지만
완벽한 건 아니었는지
낙하하는 속도는
크게 줄지 않아서….
스우가 이동에
성공한 거겠죠.
어딘지 모를
산속에 떨어져
처박힌 채 정신을
잃었던 것 같네요.
ㄴㄴ
정확해요….

당신을 깨우려는데
갑자기 난데없이
비가 와서….
어디 적당히 비를
피할 만한 곳을 찾다가
작은 동굴이 보여서
들어온 거예요.

…어디
아픈 덴 없어요?
그렇게
손을 놓다니
제정신입니까?

…미안해요,
하지만 그때는
뾰족한 수가
없었잖아요.

그러니까
스우가 천명제에
참석하는 걸
반대했던 겁니다.

애초에 그 멍청한 것만 믿고 일을 벌였으니 결국 이런 꼴이 났죠.
지켜 주네 마네 하는 헛소리를 맹목적으로 믿은 결과가 이거라고요.

사하라 님을 나쁘게 말하지 말아요!
천명제 참석은 사하라 님이 저를 생각해서 벌인 일이에요!
결과적으로 일이 틀어진 건 미안해요!
하지만 저도 나름 잘해 보려고 한 거라고요!
당신한테 도움이 되고 싶으니까!

…제가
할 수 있는 게
더는 없잖아요.
그런데
이런 제 마음마저도
당신이 필요 없다고
말하면….

사하라 님은
상심한 저를
위로해 주려고—

그러니까!

왜 저한테는
상심했다는 내색도
안 하면서,
그 자식한테
쪼르르 달려가서
위로받는 겁니까?!

아까도 그렇습니다.
왜 갑자기
제가 혼인을
해야 하는데요?!
스우가 떨어져 죽는데
왜 저는 잘 먹고
잘살 거라는 건지 전혀
이해가 안 된다고요!

제게 뭔가
불만이 있다면
저한테 직접 말하면
되잖아요!!

제가 왜
그딴 자식한테서
당신 얘기를
들어야 합니까?!

그 자식이 당신과 나에 대해서!
우리에 대해서 뭘 안다고!
이상하다.
분명히 화를 내고 있는데….
심장이 두근거려….

…저, 주변에 마을이 없나 좀 찾아보고 올게요.
정확히 얼마나 시간이 흐른지도 궁금하고….
밖에 뭐가 있을 줄 알고 혼자 갑니까?

같이… 앗.
머리를 부딪혔어?!

엄청 짜증 남

…설마 당신.

눈이 안 보이는 거예요?
신경 쓸 것 없어요. 원래 눈과 혀가 제일 치유가 느립니다.
몇 시진 있으면 돌아올 거예요.

이 정도 거리면 표정도 충분히 보입니다.
당신이야말로 이제 슬슬 제 앞에서 좀 솔직해져 봐요.

아프면 아프다고
질투가 나면 질투가 난다고 평소에 말해 달라고요.

…스우가,

질려 하지 않을 거라고 먼저 약속한다면.

쏴아아

이 비가 영원히
멈추지 않기를.

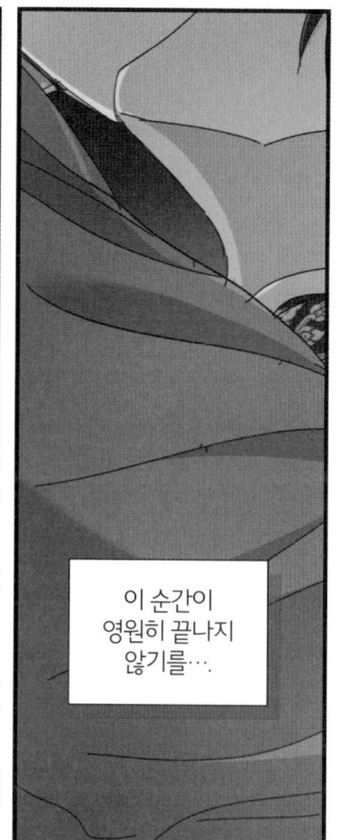
이 순간이
영원히 끝나지
않기를….

말도 안 되는 일을
바란다는 걸 알지만
계속 그렇게
생각하게 된다.

사람들은
이런 마음을
뭐라고 부를까.

와락!
스우?!

당신을
너무 사랑해요.
정말 너무나…
사랑하는 것
같은데…

제 마음이
당신에게 잘
전해지지 않는다는
기분이 들어요.

그게 너무
불만이고…
쓸쓸해요.

울지 마세요,
스우.
꼬옥…
제가 어떻게
해 드리면
좋을까요.
무엇이든
말씀해 주시면
따르겠습니다.

이대로 전부 다 내려놓고…
전부 다 내려놓고…

다른 건
생각하지 말고…
단 둘이서만
어딘가로 떠나서…
평범하게
살다가
죽고 싶어요.
…스우.
마음에도
없는 소리
하지 마세요.
뭐라고요?!

그 웃음기 있는 대답에
망설이는 내 마음을 모두 들킨 기분이 들었다.

스우를 비난하려는 게 아니에요.
저도 마찬가지니까요.

어찌 그 많은 은원을 버리고 미련 없이 떠날 수 있을까요.

그렇게 전능한 존재가 선택을 했으니 뒤돌아봐선 안 된다 해도,
혹시나 하는 마음에 의심을 거두지 못해 결국 뒤돌아보고,
소금 기둥이나 돌이 되어 버리고 마는….
뭐 그런 인간들이라는 거죠, 저희는….
이미 일어난 일에 어떤 가정을 하는 걸 싫어하지만…
만약 스우와 더 빨리 만날 수 있었다면…

글쎄…
어땠을까요….

그랬다면…
어땠다는 걸까.

서로의 공허함을
아무리
부딪혀 봐도

하나로
포개지지 않아
허무할 뿐.
닿지 않는 마음이
차가운 납덩이처럼
가슴 속을
굴러다닌다.

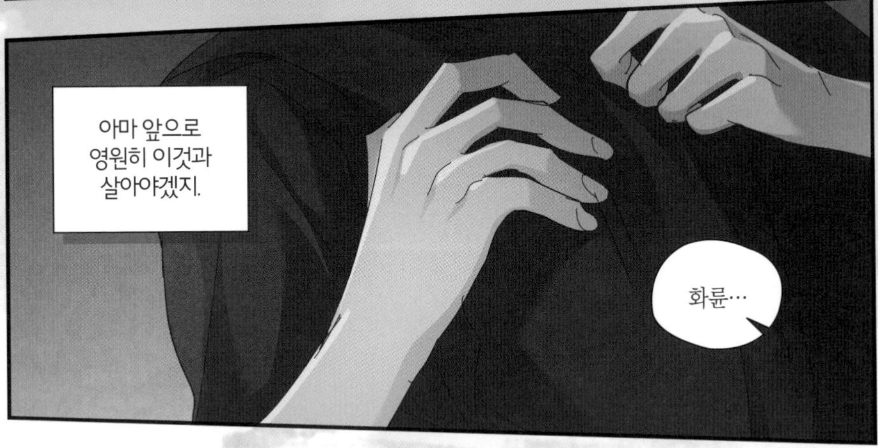
아마 앞으로
영원히 이것과
살아야겠지.
화륜…

비가 그치면
황궁으로
돌아가요.

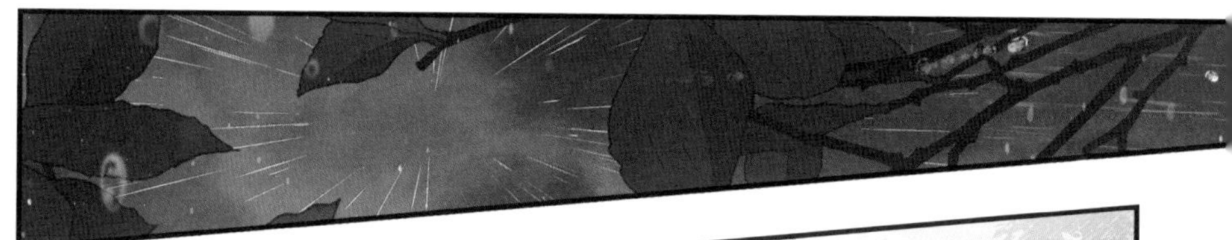

비가 그쳤다.

그렇게 영원히
그치지 않을 것처럼
퍼붓더니.

…설마
이 비는…

내가 내리고
있었던 건가?
스우.

아, 깼어요?
눈은 좀 어때요?
이제
잘 보입니다.
그럼 빨리
움직여요.
…본인은
모르는 건가?
눈동자가….
…스우.

앞으로 당신과 나 사이에 많은 것이 변하겠죠.
하지만 저는 오늘을 영원히 기억할 겁니다.

제게 있어
당신은 언제나
오늘의 당신이고,

하물며 언젠가
당신 또한
변한다 해도…

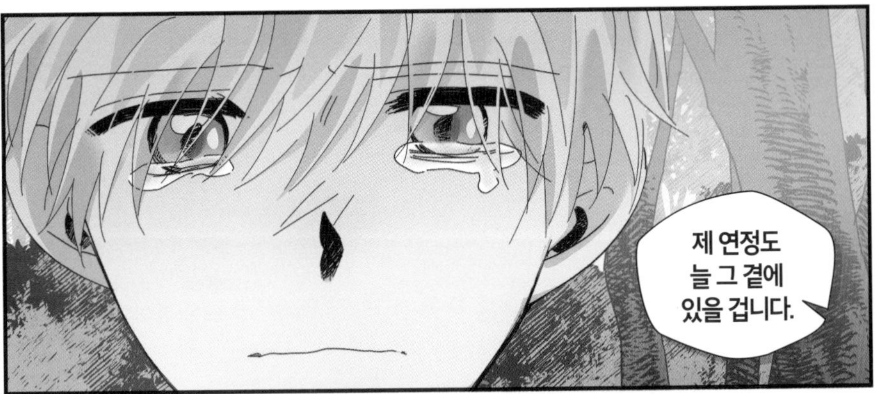
제 연정도
늘 그 곁에
있을 겁니다.

…울리려고 한 말은 아니었는데요.

25화

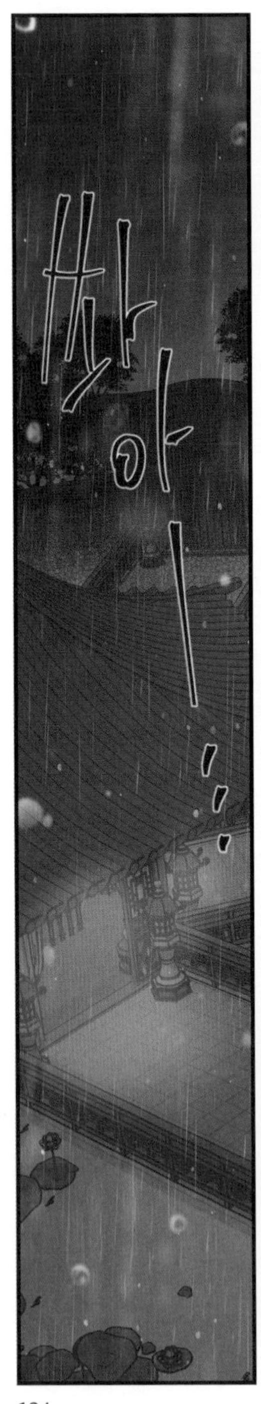
쏴아—…

투둑
툭

이렇게 비를 내리실 거라고 말씀해 주셨으면

이 영광에 걸맞은 절차를 준비해 드렸을 텐데요.

이 비, 내가 내리는 거 아니야.
그렇다는 건—

돌아오고 싶지 않다면, 그냥 솔직하게 말해 주면 될 텐데.
스우는 언제나 그럴싸한 구실을 찾는다니까.
어차피 돌아올 거란 걸 알아도 기분은 썩 좋지 않군. 
기다림이란 그 자체로 끔찍한 거구나.

언젠가
돌아올 것을 알아도
그리워하는 마음을
거둘 수 없고,
언젠가
이별할 것을 알아도
만남을 피할 수 없는
법이지요.
그건 인간들의
이야기잖아.

먼저 인간처럼
말씀하시지
않으셨습니까.

스스로
깨닫기 전까지는
같은 인간끼리도
이해하지 못하지요.
하아…
인간은
이해할 수 없는
모순으로
가득하답니다.
난 인간만큼은
정말 되고 싶지
않아….

불경….

쾅!
천 년이 지나도
씻을 수 없는
불경입니다….

감히
태자 전하를
사칭하시다니요!
이 사실을 들키면
아버님부터 조카들까지
전부 성문에 목이
매달릴 거라구요!

게다가
태자 전하인 척하고
궁주의 천명까지
받들다니!
형님, 머리가
어떻게 된 거
아닙니까?!

중아야….

어차피 스우 님도
진짜 스우 님이
아니었단다.
태자도 가짜,
궁주도 가짜,
모든 게 가짜—
염색 중
그야말로 불경
그 자체입니다!

아, 시끄러워!
지금 그딴 게
중요해?!
당장 태자가
즉위만 남겨 두고
사라졌는데!
호국룡은 뭔가
알고 있는 거 같은데
말해 주지도 않고!
아프다고 하면
침전에서 안 나가고
나흘쯤 버틸 수 있을 테니
기다려 보자.
나흘 뒤에도
나타나지 않으면
어떡할 건데?!
수련이 이 시점에
증발해 버리다니!
믿기지가 않는다,
정말!

열 내지 마.
설마 수련이 스우랑
사랑의 도피라도
했을까 봐?

호정, 대답해 봐.
태자 전하께서
어디 그럴 분이셔?
그렇게 오랜 세월
가장 가까이서
전하를 모시고도
몰라?

희건….

그냥
너도 불안해서
미치겠다고
해라….
덜
덜
덜
덜

무슨 말씀들을
하시는 겁니까!
짠

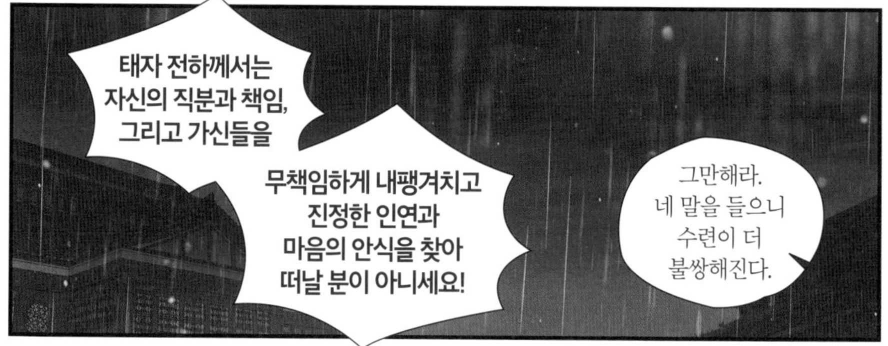
태자 전하께서는
자신의 직분과 책임,
그리고 가신들을
무책임하게 내팽겨치고
진정한 인연과
마음의 안식을 찾아
떠날 분이 아니세요!
그만해라.
네 말을 들으니
수련이 더
불쌍해진다.

그래도 그 와중에
주아란을 생포한 건
잘됐지.
틈만 나면
자해하려 해서
심문은 못 하지만.
고문하지 마.
어떤 패로
쓰일지 몰라.

성벽 위에
주아란 혼자
쓰러져 있었고….

누군가 피를 흘린
흔적은 있지만
주아란은 아니야.
다시 계단으로
이동한 흔적도
없었어.
그렇다면
둘 다 성벽 아래로
떨어지기라도
한 건가?

먼저, 주아란이
스우와 함께 죽으려 한 건
귀비의 명령이 아닐
확률이 높습니다.
딸을 낳고도
시종일관
여상한 태도였던
귀비와 다르게,
그녀는 심복으로서
상당히 궁지에
몰려 있었다는 거죠.

…저도 비슷하게 생각했어요.
공멸은 패색이 짙거나 열세인 진영에서 택하는 최후의 전략이니까요.
주아란은 충심은 깊지만 귀비에 비해 너무나 평범한 인간이니….

'아무리 귀비마마라 해도 이번엔 어려우실 수 있다. 그렇다면….'

'보다 확실한 방법으로 마마를 도와야 한다.'는 마음이었을지도요….
참으로 가련한 충심이군요.

그렇죠…. 하지만 어쨌든 주아란은 죽었고—
아마 주아란은 살아 있을 겁니다.

네?!
어떻게든
던져 놓고 왔으니,
아마 뒤따라온 호정이
발견했을 겁니다.

…아무리 고문해도
아무것도 대답하지
않을걸요.
이쪽도 이제 와
고문까지 하면서
알고 싶은 건
아무것도 없어요.

하햐
단지 평화적으로
이쪽이 유리한 거래를
하고 싶은 거죠.
말의 앞뒤가
안 맞잖아!

그녀가 뛰어난 상술로
라한에서 손꼽히는
부를 쌓은 가문의
총명한 여식인 것에 비해
저는 황궁에 널린
황자 중 하나인 데다,
금은 삿된 것이라 배워
세상 물정에 어둡고
순진한 무인에 가까우니,
순진한
무인?!
이제야
저울의 수평이
좀 맞는다
할 수 있죠.

그래도 제도와
너무 먼 곳으로
떨어지지 않아서
다행이네요.
부지런히 이틀 정도
움직이면 황궁으로
돌아갈 수 있겠어요.

같이 도망치자고
말한 것치고는
참 소심한
이동이었네요.
지금 바보
취급하는 거예요?

아뇨,
단지 너무
스우다워서…
쿡쿡…

귀엽다는 생각이
든 것뿐입니다.
바보 취급
맞구만!

거리에서
조금만 귀를
기울여 보면
다들 천명제
이야기를
하고 있다.
사람들이
말하는 태자와
내 앞의 남자가
같은 사람이란 게
실감이 안 나.

노상에서
유유자적하게
차나 마시는
남자인데….

어쨌든 천명제는
무사히 끝난 것
같아서 다행이야.

기분이
이상하다.
좋은
도시네요.

나나
이 남자가
없이도
천명제는
무사히 끝났고
모든 게
결정되었다.
그렇다면
사실 우리는
있어도 없어도
그만이지 않을까.

거리의 사람들과
수련은
전혀 다를 바
없어 보여.
그러고 보니
저….
그렇다면 어째서
운명이니,
필연이니 하며
괴로워야 하는 걸까.

이렇게
전혀 모르는 거리를
거닐어 본 적이
없어요.
스우는
꽤 여러 지방에서
생활해 봤죠?
네? 아, 뭐…
그랬었죠.

이대로
평범하게
살다 죽으면
좋을 텐데.

그렇다면
저보단 스우가
더 잘 알겠네요.

보통 연인들은
거리에서 뭘 하면서
시간을 보내나요?
…심,

심장에
안 좋아…!

글, 글쎄요.
저도 거리에 나올 땐
늘 심부름 같은 목적으로
나온 거라….
산책을 하거나
먹을 걸 사 먹거나
차를 마시거나
공연을 구경하거나….
공연….

공연…?
꺄악—
아뇨, 저건
딱 봐도
야바위를 하다가
싸움이 붙은 거네요.
극적이긴 하죠.

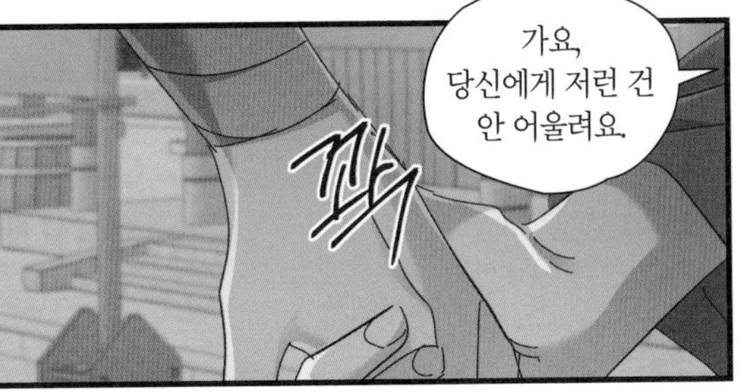
가요,
당신에게 저런 건
안 어울려요.
꽈악

그러고 보니
어릴 때 궁주에게
도박의 요령을
약간 배운 적이
있습니다.
엑!
정말요?!
대체
이전 궁주는
뭐 하는
인간이지?!

눈속임이나 기선 제압 같은 걸 가르쳐 줬죠.
…그래서 도박에 재능이 있으셨나요?
아뇨. 알다시피 저는 그런 운이 따르는 편은 아니기 때문에.
궁주도 운의 개입이 큰 도박은 피하라고 했어요.

늘 그렇게 말했죠.

어차피 모든 것은 정해져 있다고….

…사하라 님이
했던 말과
똑같아.
으응, 어차피
뭐가 나올지는 전부
정해져 있으니까.

속임수가
있었다는
뜻이에요?
아니, 그냥
말 그대로야.
이를테면
이 금화.
지금부터 스우가
세 번 던지면
모두 앞면이
나올 거야.
해 볼래?

일견 우리는
선택을 하는 것처럼
보이지만
실제론
아무것도 선택하지
못한다고요.
사실
도박은 핑계고,
그걸 알려 주고
싶었던 걸지도
모르죠.

어릴 땐 운명이니,
필연이니 하는
모든 것들이
싫었어요.
황자는 다시
돌아오게
될 겁니다.
자신의 운명을
거머쥐기
위해서요.

지금도 차마
그렇지 않다곤
말할 수 없고….
호국룡도
솔직히 정말…
싫지만.

그가 당신을
선택한 것에,
당신을 여기로
인도한 운명에
대해서는
감사도 하고
있답니다.
…수련은
한결같아.

이제 나도
확실히 마음을
정해야 돼.

으으으으으….

아침부터
강행군이었으니
피곤할 만하죠.
미안해요,
갑자기 너무
졸려서….

쉬고 계시면
이 주변에 대해
몇 가지 묻고
오겠습니다.

내일까지
좀 더 힘내자….
아마 수련은
황궁으로 빨리
돌아가고
싶을 거야.

황궁을
오래 비워 둘 수
없을 테니까.
지금도 아마
내일 동선에 대해서
물으러 간 거겠지.

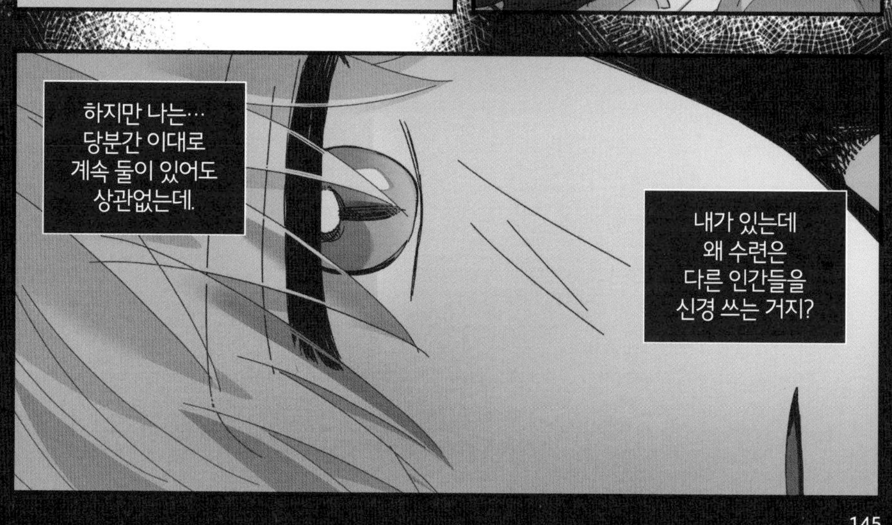
하지만 나는…
당분간 이대로
계속 둘이 있어도
상관없는데.
내가 있는데
왜 수련은
다른 인간들을
신경 쓰는 거지?

…무슨 생각을
하는 거야.
나도 참….

지치긴
지쳤나 봐….

끼익
스우, 몸은
좀 괜찮나요?

내일은….

거울….

눈동자가
변한 걸
본 건가.

스우….

스우.
하아…

괜찮습니까?

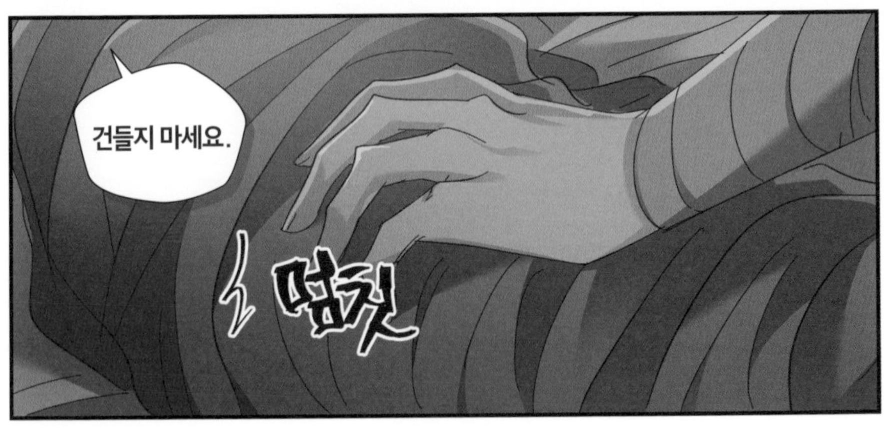
건들지 마세요.
멈칫

어차피 일부러
말 안 한 거죠.
꾹

다 알고
있었으면서.

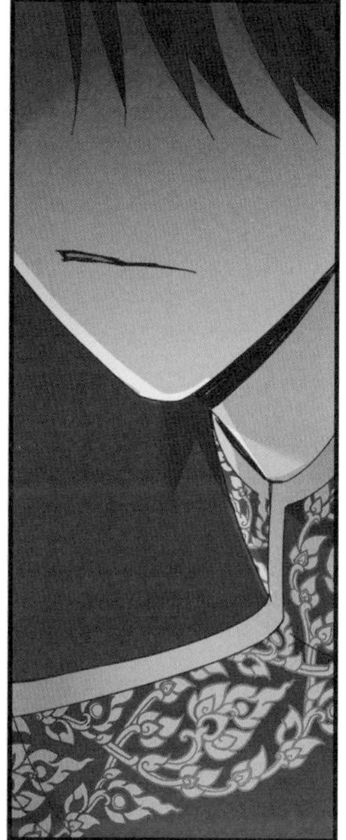

그야 당연히
바로 알아보긴
했지만—
콱
놔요!

눈동자가 변한 것뿐
제 눈엔 평소의 스우와
전혀 다르지 않다고
생각해서 입 다물고
있었던 거예요.
안 그래도
불안한 상황인데,
더 혼란스럽게 만들고
싶지 않았어요.

화나면 물건을 부수는 성질머리도 인간일 때와 그대로인걸요.
축일에 점을 봤을 때도 모래시계를 벽에 집어 던졌었죠.
그때 그건 좀 잊어요.

의외로 격렬한 부분이 있다고
그때부터 쭉 생각했답니다.

그의 품 안에 있다는 것만으로도

이렇게 쉽게 기분이 나아지다니.

진정이 좀 됐나요?
이것도 정상은 아니야….

아마 호국룡과
떨어져 있어 그럴 수도
있습니다.
의지와 상관없이
변해 가는 자신이
확실히 무섭겠지만…
스우가
인간으로서 지키고 싶은
부분이 있다면…
제가 최선을 다해
도울게요.

스윽
인간성을
잃어 가는 건
두렵지 않아요.

저는 단지
당신 말대로
언젠가 모든 게
변해서…

아니,
내가 변해서…
당신을 
슬프게 할까 봐,
그게 두려워요.

스우도 참,
이렇게 마음이
여려서야.
확
뭐라고요?!
앗…!

만약 그때
슬프거나 가슴이
아프지 않다면,
지금 이 순간도
아무 의미 없는
것이겠죠.
풀썩

언제나
수련은

자기 자신을
어떻게든
고무시키고,

어른스럽게
격려하는 것에
익숙하다는
생각이 들어.

수많은 체념으로
쌓아 온 자신만의
성인 거겠지.

또다시
빗소리가
들린다.
툭...
앞으로
얼마나 더
그와 함께
이 비를
바라볼 수
있을까.

그의 말대로
언제가 이 비도
그치고 젖은 땅도
마르겠지.
하지만
우리가 함께
빗소리를 듣던 날들이
사라지는 건
아니니까.

언젠가
눈물 흘리며
그리워할 순간을
우리는 지금
함께 보내고
있다는 것.

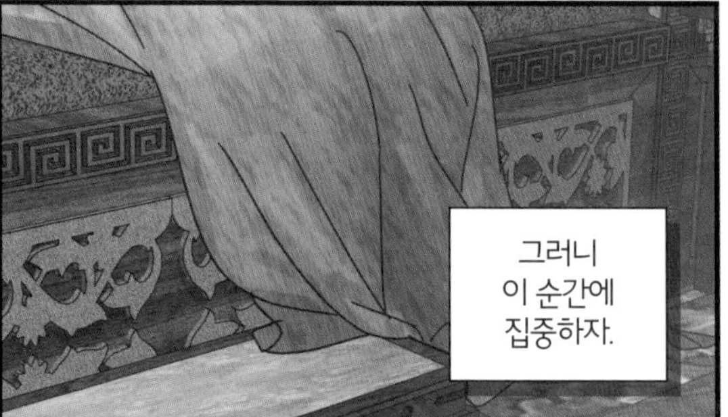
그러니
이 순간에
집중하자.

응…?
…태자궁?!
대체 언제
돌아온 거지?!
무의식 중에
움직인 건가?
수련이
옮겼을 리는
없고….

수련도
아직 눈치채지
못한 건가….

너무
곤히 자네….

어쨌든
돌아왔으니,
어서 신궁에 소식을
전해야 해.
사하라 님도
걱정할 테고.

빤~히
아.

다, 다들 언제부터 계셨어요…?
두 시진 전에 두 분께서 홀연히 침대 위로 나타나셨을 때부터요.

태자 전하, 기침하실 시간입니다.
하아… 일어나자마자 지긋지긋한 면상들이….

26화

어쨌든
일어나셨다면
옷이라도
갈아입으시죠.

보고드릴 게
있습니다.
보고?

지긋

…아.

저는 이만
신궁으로 돌아가
보겠습니다.
그럼—
아니에요.
충분히 혼자
돌아갈 수 있으니
괜찮아요!
슥

아, 저.
실례가 아니라면
제게 스우 님을
모셔다 드릴 영광을
주십시오!
윽. 성가신
녀석이….

그, 그래요.
그럼 가 볼게요.

덥
스우.

조만간 또….

"또"…
라는 건.

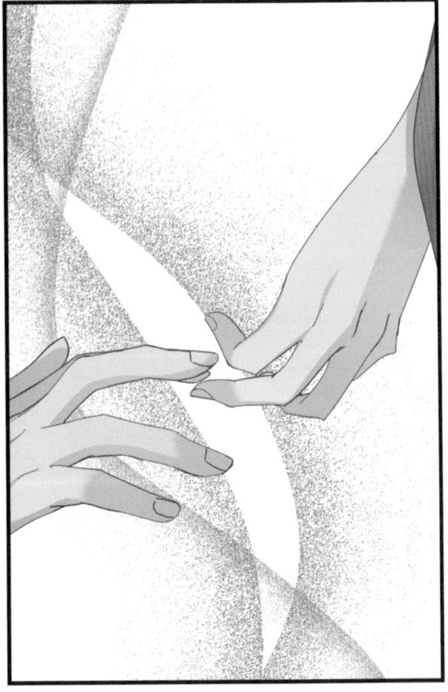

언제일까?

저기,
스우 님께서는…

태자 전하와
같은 마음이신
거죠?

가, 같은 마음?!
예!
함께 라한을
영화롭게 하고
백성들에게
안락한 삶을 선사하려는
큰 뜻이 전하와
같으신 거겠지요?!

그렇다면
다소 그를 위한
희생이 따르는 건
어쩔 수 없다는
생각도요.
저도 그런 대의를
가슴속에 깊이
새기고 싶습니다.

아,
이 아이….
그때 일을
마음에 담아 두고
있구나.
너… 아직
약관이 안 됐다고
했던가?
네, 아직
열여덟입니다.
그때는 호국룡…
사하라 님과 나는 자객에
쫓기던 중이었고,
아마 사하라 님은
그자들을 가족으로
위장한 자객이라고
판단했을 거야.
자주 있는
일이거든.
어쩐지!
제 오해일
뿐이었군요!
그래!
네 뒷통수를 쳐서
기절시킨 것도
네가 휘말리길 원치
않아서야!
그런 뜻이!

전 또 용은 사실 인간 따윈 안중에도 없는 사악하고 타락한 존재라고 생각했지 뭡니까!
라한이 저주받았다고 생각할 뻔했어요!
으으응….
애매한 긍정

호국룡과 궁주께서 이렇게 영명하시어 라한을 받쳐 주시니
태자 전하께서 뜻을 펼치시기에 더할 나위 없을 것 같아 이 중아는 감격이 깊습니다!

부디 두 분께서 전하의 치세에 앞으로도 힘이 되어 주십시오!
궁금하다.

다들 수련의 어떤 모습을 보고 있는 건지.
그럼 저는 여기서 물러가겠습니다.
나는 수련을 사랑하니까
마땅히 수련이 원하는 걸 주고 싶어.

하지만
수련은 자신이
원하는 걸
원하지 않는다.

그게 가슴이
아픈 거야….

…천명제 전에 "수련도 그렇게 했다." 라고,
사하라 님이 그랬었죠.

이제 그게 무슨 말인지 알겠어요.
언젠가의 그가 결정을 내렸을 때
제 운명도 이미 그때 정해진 것과 다름없다는 걸….

스우는 절대로 사람을 떠나지 못하는 성격이니까.

언제나 집착하는 인간을 놓아주지도, 벗어나지도 못하지.
사하라 님도 저처럼 변했어요.

수련을 이용해서라도 저를 붙잡아 놓고 싶어 하잖아요.

인간으로 살아온 스우의 마음이 인간을 향하는 건 어쩔 수 없는 거라고.
그렇게 생각하기로 했어.

하지만 인간은 필멸하니 언젠가는 그 마음도 흩어져.
한 삼십 년 느긋하게 기다리면 되겠지.

기다리는 건
정말 싫지만
둘 중 하나가
기다려야 한다면
스우보단
내가 낫겠지.

스우는
마음이
약하니까.

사하라 님이
늘 거기에
있어 주겠다고
해서…
나는 어디든
멀리 다녀올 수
있어요.

그렇지만
진짜 모르겠어!

대체 수련과 날
구분하는 게
뭐야?!
얼마든지
모습은 똑같이
바꿀 수 있는데!
물론
역겨워서 그렇겐
안 할 거야!

모르겠어요,
그냥….

수련이
살아가는 걸
옆에서 끝까지
지켜보고 싶어요.

…용이
왕의 곁을 지키고
싶어 하는 건
왕가의 피를
원하는 본능
때문이야.

지금은 확실히
인간으로서의
마음이라고 생각해요.

부재하신 동안, 소창천이 축하를 핑계로 태자궁에 계속 사람을 보내왔습니다.

일단 정확한 상황을 들은 바가 없으니
전하의 병환을 핑계로 돌려보냈는데….

직접 와서 소란을 일으킬까 봐 식은땀이 났다고요!
두 번 다시 사라지지 마십시오!!
어쨌든 돌아왔으니 됐잖아.

주아란은?
가둬 놨습니다.
물조차 마시지 않으려 해서 애먹었어요.

살려 둬야 했던 것 맞지요?
그래.

…밖에서
무슨 일
있으셨습니까?

호정…
그리고 희건.
예, 전하.
저희 여기
있습니다.

다시는 혼인하고 싶지 않구나.

…하,

하지만 즉위하시면 후사가….
전하께선 아직 아이가 없으셔서….
콱

너희들의 그런 심각한 낯짝, 진짜 오랜만에 본다.
천화룬 이 자식!
갑자기 이딴 심란한 농담을 해?!
큭큭큭….

그냥 내 마음이 그렇단 얘기야.

심란하게 했다면 잊어버려라.

화륜….
태자 전하!

전하, 부디 뜻대로 하십시오.

전하의 뜻이라면 저희는 무엇이든 받들겠습니다.

마음에도 없는 소리하긴.
뭐라고, 이 자식!
호정, 네가 참아….

태자 전하.

오랜만에
뵙는군요.

차향이 좋으니
전하께서도
함께 드시지요.
전하께서
생전에 내려 주신
것이랍니다.
아뇨, 저는
괜찮습니다.

태자 전하께서 한낱 여인네가 올린 잔에 독이라도 들었을까 경계하시는군요.

한낱 여인네가 아니시니.

시종도 없이 홀로 계시니 풍한이라도 드실까 걱정됩니다.

어쩜…

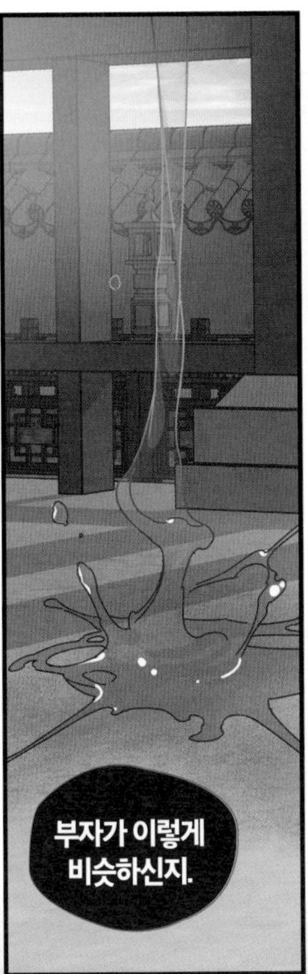
부자가 이렇게
비슷하신지.

제가 폐하를
처음 뵈었을 때…

폐하께선
갑작스럽게
신우 태자를 잃고
깊은 슬픔에
잠겨 계셨죠.
7황자가
무슨 수를 쓴 게
틀림없다는 말을
반복하시면서요.
내버려 두면
앞으로 라한에 망조가
들게 할 거라고
하셨어요.

그가 어째서
신우 태자를
죽이겠어요?
태자 자리를
원하지 않는 자가
태자를 죽일
이유가 없지요.

저는 그게
말도 안 된다고
생각했지요.
당시만 해도
7황자는 자의로
명예도 뭣도 없는
한직에 지원해
황궁에서
도망치듯 떠난
나약한
황자였으니.

하지만 폐하께선
마음의 병 때문에
계속 같은
말씀뿐이셨죠….
그게
너무 지겹고
안타까워서
말씀을 올렸어요.

하지만 폐하.
자식을 죽이는 일은
천륜을 저버리는
끔찍한 일입니다.

그렇다면
차라리 누군가에게
7황자를 죽이게끔
하세요.
성지를 내려
태자를 봉하되,
황궁에는 부르지 않는
모욕을 주세요.

절대 원하는 자와
혼인시키지 마시고,
부부간의 정을
알지 못하게 하세요.
대신들 앞에선
멸시하여 하찮은 자가
고귀한 신분을
차지했다 생각하게
하세요.

폐하는
자식이 많으시니,
채 3년도 전에
성질이 급한
누군가가 나서서
그를 죽일 거예요.
7황자를
미끼로 내어놓으면,
당신의 자식들 중
누가 황위에 야욕이
있는지도 알 수 있어요.
그렇게 되면
입궁한 지
얼마 안 된 저도
누굴 우선으로
경계해야 하는지
알기 수월해져
좋았죠.

정말이지…

너무
재미있었어요.

27화

후후….

귀비께서,

그렇게 화가 나신 걸 보는 것도 처음이군요.

원하신다면 무사히 돌려보내 드리겠습니다.

다만—
아니.

구차히 살아만 있는 거라면 필요 없다.

내가 기억하는 모습과 한 치의 다름도 없어야 해.

고문했다면 어차피
다시 정상적인 생활은
어려울 테니…
어서 죽이시죠,
전하.
아쉽게도 아직까진
손끝 하나 건들지
않았습니다.

자해를 막으려
묶어 두었기 때문에
상처가 있을 수는
있으나
그조차
거슬리신다면
제가 직접 치료해서
보내 드리죠.

대신 귀비께서
가지고 계신 것과
교환하고 싶습니다.

거절하신다면
주아란은 열흘 정도
적당히 고문한 뒤
죽이겠습니다.
시신은…
글쎄, 어떻게
할까요.

어느 성벽에
걸어 두어야
귀비께서 보시기
편하실까요?

북문에 거세요,
제일 가까우니.

천하의 모든 것을 가진
황제와 상도(商道)를
논하는 것만큼
무용한 것이 없지요.
아란이
죽고 싶어 한다면
죽이세요.
그럼,
축하도 드렸으니
물러가지요.
이 황궁에서
저를 제외하면
유일한 것입니다.

…뭐?

귀비께서
생각하시는 바가
맞을 겁니다.

후계가
갖고 싶습니다.

제가 죽은 이후에도 라한의 안녕과

아….

호국룡께서 오랜 시간 라한 땅에서 보중하실 수 있도록

권능을 가진 아이가 필요합니다.

하늘 예쁘다….

사하라 님,
그거 알아요?
뭐?

수련이 예전에
이번 생을 한바탕
꿈이라고 생각하라
하더라고요.

그 자식 가끔
안 어울리게
감성적인 말을
하더라.

그의 말처럼
정말로 인생이
꿈과 같은 것이라면

대체
누가 꾸는
꿈인 걸까.

아마
우리의 꿈은
아닐 거라는
생각이 들어….

천화륜.
미치기라도
한 거냐?

전 이게
제정신입니다.

아이를 황제로 만들고 싶었던 것 아닙니까?
제가 그렇게 만들어 드리겠습니다.
…아이만 원한다면 얼마든지 빼앗아 가면 그만일 텐데.
굳이 거래라 하는 의도가 뭐지?
부끄럽지만, 귀비께서도 아시다시피
제겐 사람이 턱없이 부족합니다.

아이가 제위를
물려받을 때가
될 때까지,
귀비께서 좀 더
내명부의 안정을 위해
힘써 주시길
바랍니다.

내 아이는—
여아인 것을
알고 있습니다.
하지만
권능을 가지고
있지요.
다른 건
모두 사소한
일입니다.

다소 반발이
있더라도,
그 아이 외의
적합한 후보들이
우연히 전부
죽기라도 한다면….
아하, 그러니까
전하께서는…

내명부를 견제하라 하시면 꽤 귀찮은 혼사가 있으신가 본데.

아이를 인질로 잡아 저를 장기말처럼 쓰시겠다.

여차할 때 생모도 아닌 저를 보호해 주실 의리는 없으실 테고.

그렇죠?

여차하실 일이 없다면 가장 좋겠지요.

뭐, 죄를 지으셔도 선황의 총애받는 후궁이셨으니…

그에 걸맞은
태비의 예우를 갖춰
선황과 가까운 곳에
묻어 드리겠습니다.
물론 당신의
충실한 신하와
함께.

어쨌든 당신도
어머니로서
그 아이를
황위에 올리고자 하는
뜻은 같으니—

쿡….
어머니로서라….

역시 전하께서도
그리
생각하시는군요.

다릅니다.
자식으로서,
어머니로서
그런 게 아니에요.
내가
하고 싶은 건…

이 내가…
이 소창천이…
한낱 지방의
상인 출신
귀족 집안이 아닌—
황가에서 
태어났다면
어땠을까.
어디까지
갈 수
있었을까.
그걸
지켜보고
싶어서예요.

한 번뿐인
인생.

인생이 그렇게
의미 있는
것이라면

어째서
태어나면서부터
정해지는 게
이렇게 많은 건지.

어째서
천하의 모든 걸
가지는 핏줄은
정해져 있는 것이며

난세에 남자로 태어나셨다면,
틀림없이 큰 영웅이 되셨을 것입니다.
으음….

허나 여자아이의 얼굴에 이렇게 큰 상처라니….
어머니께선

대체 왜 이 보잘것없는 남자와 혼인해서 나를 낳은 걸까.
정말 어떻게 안 되겠나?
어떤 명의가 와도 무리일 겁니다!
아아, 다시 한번…

그래서 처음 폐하를 뵈었을 때 안도했답니다.

'아아, 황제도 결국 이 정도의 인간이군.'

'수천, 수만의 삶을 짊어지고 있는 자가,

어리석은 자식 사랑에 눈앞이 가려져 우는 꼴이라니….'

그리고 확신했죠.

만약에 내가 황가의 황자로 태어났다면…

7황자씩이나 되는 신분에 이전 궁주의 신임까지 등에 업어 놓고
싸우는 법도 몰라 국경으로 꼬리를 말고 도망치고…

이 몸을 상대로 고전하시는 태자 전하를 보니, 더더욱 그런 생각이 굳어졌어요.

분명히 제위에 오르는 건 내가 되었을 거라고요.

내가 만약 7황자였다면…
훨씬 더 잘 해냈을 텐데.

…참으로
얄궂은 일이
아닐 수 없군요.
하지만
이 대화로 더더욱
확실해졌습니다.

당신 이상으로
이 황궁에 어울리는
인간을 저는
알지 못합니다.

제가
힘 없고 나약한
7황자일 때….

제 어머니께서도
당신처럼 황궁에
걸맞은 분이셨다면
얼마나 좋았을까,
비겁하게
그렇게 탓하는
날들도 많았습니다.

앗!
7황자 형님!

휙

어머니,
일곱째 형님이—
슥
쉿,
안 됩니다!

7황자는
폐하의 미움을
받고 있으니
가까이 하시면
괜한 오해를
사실 수 있습니다.

주아란은 무사히 돌려보내 드리겠습니다.
부디 황태녀의 앞날은 안전할 수 있도록 힘과 지혜를 나눠 주십시오.

서로 뜻이 같다면 반목할 이유가 없지요.

이제 보니 아란은 내 야욕을 떠보기 위한 구실일 뿐이었군.

내게는 원한이 깊을 거라 생각했는데.
앞으로의 라한을 생각하면 저 개인의 원한은 사사로운 것입니다.

전하께서도 한낱 인간으로서 참으로 애달픈 것을 원하시는군요.

어차피 이제와 달리 선택할 것도 없겠지요.
다만 오늘 이 맹약에 대한 증표를 주십시오.
증표라 하심은…?

철컹!
거세해 주세요.
만약에 태자께서 변심하시어 다른 여인에게서 자식을 보시게 된다면,
그리고 그 아이가 마침 또 운 좋게 권능을 가지고 태어난다면.
그렇다면 이 모든 것이 무용지물이 되는 것 아니겠습니까?

그러니 오늘 당장, 제가 보는 앞에서 잘라 주세요.
걱정하시는 바는 이해하나 변심할 일은 없을 겁니다.

궁주께서
이 부분에 대해선
증명해 주실
겁니다.
?!! 뭔가
불길한 느낌이….
난 갑자기
기분이
좋은데?!
움찔!

죄송하지만
나름대로
쓸 데는 있는
물건이기에.
하나 아이가
생길 일은 절대 없으니
걱정하지 않으셔도
됩니다.

흐음….
좋아요,
자르는 건
양보해 드리죠.

하나
오늘의 맹약은
어디까지나
이 몸의 아이를
후일 황제로
옹립하기 위한 것.
전하께선
아이를 볼 때마다
오늘의 맹약을
떠올려야 할 것입니다.

폐하께서 갑자기 돌아가신지라…

아직 아이의 이름이 없습니다.

몇 가지 생각해 둔 것은 있으나…
황제께서 직접 내려 주시는 것 이상의 영광은 없겠지요.

…그렇다면
오늘 이 시간,

이 하늘
아래에서의 맹약을
잊지 않도록.
자하(紫霞).

28화

화륜 태자가
호국룡을
현신케 함으로
인정받긴 했으나

태자 시절에
단 한 번도 기우제를
올린 적이 없고

선황에게
신임받지 못해
그간 특별히 이렇다 할
공직이며 존재감이
없었지요.

외척인 진가가
몰락하다시피 하여
정치적인 기반도
부족하고요.

그러니
즉위 초반에
당장 쓸 수 있는 패를
최대한 동원하여

새로운 황제의 존재를
각인시키기 위한 행동에
집중할 겁니다.

당장
쓸 수 있는 패라
하시면….

당연히
호국룡만 한 것이
없지요.

만약
사해(砂海)까지도
물을 끌어가는 것이
가능하다면….
상인에게 있어
이런 큰 기회는
앞으로 백 년 간은
없을 겁니다.
새롭게 부흥하는
가문들도 우후죽순
생길 테고요.

정세 또한 빠르게
달라질 테니
대비해야 합니다.
…하나, 마마.
지금 소가의
가주는—

둘째 오라버니는
죽어야 해요.

틀림없이
앞으로 커져 갈
가문에 걸림돌이
될 테니까요.

오라버니께선
몸은 병약하셔도
현명하시니까요.
어릴 때부터
늘 그 집안에서
유일하게
제 뜻을 한결같이
지지해 주시지
않았습니까.

사람을
죽이는 방법까지
이 동생이 알려 드릴
필요는 없겠지요?

그건,
현명한 게
아니라…

잠들어 있는 동안
마마께 살해당하고 싶지
않았을 뿐입니다.
그게
현명하다는
거예요.

이… 이게
다 뭔가요.

오전 중에
궁주께서 살펴보셔야
하는 안건입니다.
우선은
태자궁에서
보낸 게 고만큼.
이 많은 걸
오전 중에요?!

어머, 신궁에서 먼저
즉위식 진행에 필요한 건
전부 다 도맡아서
하시겠다고 말씀해
주셨는걸요.
네?!
누가?!?!

몇백 년 만에
용께서 현현하셨으니,
즉위식 같은 국사는
당연히 우리 신궁에서
주도해야지요!
범인…!

이건 뭐야?
턱
아, 즉위식과 상관없이 태자께서 거듭 당부하신 부분인데.
앞으로 호국룡께서 10년에 걸쳐 진행해 주실 수로 계획이에요.
알고 계시래요.
뭐?!?!

모처럼 위대한
호국룡께서 라한에
현현하셨으니
존재하시는 동안엔
불쌍한 백성들을 위해
마지막 한 방울까지
비를 쥐어짜 내 주셔야
한다고요.
싫어!!!
이렇게 많이는
피곤하단 말야!!
라한에선 용이라 해도
하고 싶은 것만 하면서
살 순 없어요.

그리고 궁주께는
요새 몸 상태가 어떠신지
안부 여쭈셨습니다.
아! 아주 괜찮아요.
요샌 신기하게…
그렇게 쉽게 상태가
나빠지지 않더라고요.

왜냐하면 우린
이제 안정기에
진입했걸랑.

…전하께선
잘 지내시나요?

전하께선 요새
아침부터 밤까지
황제 대리로서 여러
책무를 수행하시고
상서를 보시랴,
대신들까지 만나랴,
눈코 뜰 새 없이
무——척 바쁘시지만

오늘은
오후 일과를
끝내고 나시면
바람도 쐬실 겸
남문 근처의
성벽을 아주 천——천히
산책하신답니다.
아시겠습니까?
인적도 드물어서
누군가에게 모습을
들킬 일도 없다네요.

그럼
태자부 공문부터
빠른 처리
부탁드립니다!
이건…

두근…
만나러
가라는 거지…?!
못 갑니다.

오후까지
이 공문들을
다 보시기
전까지는요.

잘됐다,
아—주 천천히
봐야겠네.
두럭
크윽….

저어….
궁주님, 린 가주.
아뢰옵기 송구하오나
사역원에서 급히
사람이 와서요.
이국에서 온
축하 서신에
성문이 섞여 있어
신궁의 도움이
필요하다 합니다.

혹시 한 분만
함께 동행해 주실 수
없으실지요….
부디 지혜를
빌려주십사….

아, 이 사람(?)
이 대륙의 성문은
다 해석할 줄
알아요.
데려가서
뭐든 시키세요.
다 잘해요.
질
질
스우,
배신자!!!!!!

…당연하지만
정말 온통
즉위식에 대한
이야기뿐이네.

돌아오지
않으실 줄
알았습니다.

…아, 네.
죄송합니다.
반사적으로
사과하는 버릇 좀
어떻게
안 되십니까?
앗, 죄….

…왜 제가
돌아오지 않을 거라
생각하셨는지
여쭈어도 됩니까?

전 궁주가
7황자를 태자로
추대하려는 뜻을 비췄을 때
반대한 이유와 같습니다.

이 땅에
어떤 애착도
없어 보였으니까요.
지금도
마찬가지고요.

애착같은 걸…
가질 수
있을 리가
없잖아.

스우.

아….

호정이 제대로 전달한 모양이네요.
오늘이 아니면 즉위식까지 도저히 틈이 안 날 것 같아서요.

한눈에
알았다.
화륜….

…네?

오늘이 언젠가
꿈에서 봤던
그날이라는 걸.
정말로…
이번을 마지막으로
물을게요.

사실은
지금까지도
미련을 버리지
못했구나.

같이
떠날래요?

…그런 말씀
마십시오.

몹시
흔들립니다.

…스우?
삼켜야 해.

더 이상
수련을 흔들지
않을 거야.
아니…
아니에요.
툭…
무슨 일
있었나요?

누구 때문이라고 생각해요.

그야 일은 나눌수록 줄잖아요.

하지만…

당신이 태어난 이 대지는

내가 가진 건 뭐든 빼앗기만 하는군요.

천자하….
좋은 이름이네요.

귀비마마께서 그리 쉽게 수긍한 건 의외지만….
저도 그렇게 생각했습니다.

그래서 말인데, 스우.

호국룡은 자하를 가까이서 직접 본 적이 있죠?
특별한 말은 없었습니까?

결국 그걸 물어보러 왔냐는 눈빛
겸사겸사지만 스우가 보고 싶어서 온 게 훨씬 크다구요.
우리 함께 신뢰를 천천히 쌓아 가요.
정색

…아니,
특별히 아무 말도
없었어요.

그리고
사하라 님은 인간을
잘 구분 못 해요.
깜—찍♥
저 말고는
이렇게 보인다고
했거든요.
추상적인 느낌?

외양보다
느낌이나 냄새…?
같은 걸로 기억하는 것
같았어요.
자하도 그냥
재생력을 가진
여자아이라는 말 외에
특별한 건….
역시 축생은
축생이네요.

흐음,
알겠습니다.
어차피 앞으로
저도 직접 볼 일이
많을 테니….

자하도,
화륜도…
전부 하늘의
이름이군요.

그러고 보면
예전에도 이렇게
함께 하늘을
올려다보면서
당신에게
무슨 소원을 빌었냐
물었었죠.

라한에 비가
내리는 것.
당신은 그때도
당신의 소원 같지 않은
소원을 말했었어요.

생각해 보면 그때부터 나는
당신이 원하는 게 뭔지 궁금했던 것 같아요….

스우는 그때 아무런 대답도 하지 않았죠.
뭘 빌었습니까?

글쎄요….
지금은 다 잊어버렸어요.
소원 따위, 누구에게도 빌지 않는다.

이루어지지
않는다는 걸

스스로가
누구보다 잘 알고
있으니까.

즉위식에서…

절차상
아마 스우가 제게
면류관을 씌워 주지
않을까 싶은데,

기대하고 있어도
되나요?

호국룡의 총애를
한번에 받으며
라한에 마르지 않는
비를 가져다줄,
누군가에겐 황제보다
위대한 존재죠.
속 보여요!!

아니…
그런 중요한 역할,
절대 못 해요.

분명히
손이 떨려서 면류관을
와장창 떨어뜨릴
거라고요!
철
퍽!

쏴악!
그럼 거기
쓸데없이 많이 달린
구슬 장식들이 대전의
곳곳에 흩어지고…

시종들이
그걸 쫓아다니며
하나하나 줍느라고
난리 나겠죠….

안 돼,
절대 못 해요!
나한텐 무리예요….
어떻게 그렇게까지
최악의 상황을
자세하게 상상할 수
있는 겁니까?

어떻게 해도
안 되겠습니까?
안 돼요….
제가 사하라 님한테
부탁할게요.
호국룡이든
저로 변하든 저보다
훨씬 그림도
될 거고….
제가 이렇게
부탁해도
안 되나요…?
꼬옥
큭. 진수련
이 자식…!!
평소에나
이렇게 애교 있게
굴어 봐라!!
안 돼요!!!!
애초에…!
내가 당신이
즉위하는 걸 진심으로
축하할 수 있을 리가
없잖아요!

핫….
미안해요….
스우.
사과하지 않아도 괜찮아요.
전부 이해합니다.

…린 가주가
저한테,

당신이
7황자였을 때와
마찬가지로
라한에 대한
애착이 없다고
했어요.
그랬습니까.

그러니 신궁은
호국룡께 맡기고,
당분간은
자신과 함께
라한을 횡단하며
순례를 떠나 보는 건
어떻냐고 하더라고요.

궁주가
순례하는 곳마다
비가 내리면
호국룡에 대한
백성들의 신심도
깊어질 거고…
위선적이지만
높은 곳에서 라한을
내려다보면
또 생각이 달라질 수
있다고요.

궁주로서 무능한 건 참아도, 무기력하게 앉아 있는 꼴은 못 참겠대요.
어떻게든 의지나 궁주된 자의 의의를 불어넣어 주려는 모양이에요.
린 가주답네요.
아무래도 저는 라한에 뿌리도 없는 이방인이니까,
어느 순간 내키는 대로 훽 사라져 버릴지도 모른다고 생각하는 걸지도….

무엇이든 스우 뜻대로 하세요.

솔직히 저도 아직까진 라한이 좋아질 것 같지 않습니다.
하지만…

앞으로 당신이 살아갈 땅이라고 생각하면,
소중하게도 느껴진답니다.

말한 적
있던가요?

스우의 그런 점이
정말 좋아요.

…당신 취향이
이상해서 그래요.
취향이라면
스우도
만만치 않죠.

29화

쏴아아

'그리하여 마침내
라한의 새로운
황제가 등극하고,'

'호국룡께서
직접 황좌의 곁에
서시니'

'상서로운 흰 꽃잎이 황궁을 뒤덮을 정도로 흩날리고,
백성들이 크게 기뻐하였다.'

끝—.
탁!

박해받던 7황자에서 황제의 자리까지 오르셨다니,
오라버니는 정말 대단하셔—.

그렇죠-?
나중엔 자하 님도
즉위하시면,
황태녀 시절부터
이렇게 역사에
기록될 거예요.
으응….

하지만 나는
황제가 되고 싶지
않은걸….
쉿!!
그런 말씀하시면
안 돼요!!!

폐하와 모친께서
자하 님을 황태녀로
책봉하려고
얼마나 심혈을
기울이셨는데요!
그치만…

난 새 거가 좋은데,
라한은 오라버니가
쓰던 거잖아….
너무 우울해….
중고 나라?!!!

전하.

태사께서
한참 전부터
기다리고
계십니다.
오늘도
공부를 빼먹으면
태비마마와 폐하께
크게 혼이
나실 거예요.
으으응…
갈게….

신발이 젖는 게
싫은데….
제가 안아서
모셔다
드리겠습니다.

그럼 스우,
또 봐.

조심해서
돌아가세요~

…언제 봐도
세 분 중 대체
누굴 닮으신 건지
모르겠다니까요.
내 말이
그 말이야.

아.

의수…
또 놓고 갔다.
앗,
의족도 벗어 두고
가셨네요.

정말 도마뱀도
아니고 말이지….
슥

어차피 늘상
안겨 다니시니
벗어 두기만 하면
잊으시는 거죠.
그나저나
스우.

그렇게 술 냄새가
잔뜩 나는 채로
태녀 전하를
상대하시는 겁니까?
폐하나 린 가주께서
알면 또 한 소리
들으실 거예요!
황궁에는 어제
돌아오신 걸로 아는데,
설마 술에 취한 채
입궁하신 건
아니겠죠?
그치만…!

몇 년이 지나도
라한이 좋아지질
않는걸~.
내가 결국
이날 이때까지 라한에
있다는 걸 잊기 위해
술을 마시는 거야~.
그 술병
이리 내놔요!!
오열
그런 건
제 알 바가
아니에요!
제가 윗분들께
날벼락을 맞는단
말입니다!!
가회 이 자식!
혹이 주렁주렁
딸려 있는 게 불쌍해서
찾아서 거둬 줬더니!

그럼 제발
잘라 주세요.

푹
제가 없으면
같이 옛날 이야기를
할 사람도 없어서
외로운 주제에.
크윽…!

옛날이라고
하지 마~!!
고작 10년 정도밖에
안 지났잖아~!!!

그래도
그때는 뭔가…
사랑만 있으면
어떻게든
다 될 줄 알았는데—
지금은
아니라고요?

변심이 너무 빠른 거 아닙니까?

…어느 공자께서 출세하시더니 너무 냉정해지셔서.
그건 그냥 넘어갈 수 없겠네요.

어느 공자인지 알려 주시면 대신 갚아 드리죠.
알려 드리면 폐하께서 직접 독약이라도 내려 주시나요?
독약이라….

그러고 보면 저도
사랑하는 사람에게
배신당해서 독약을
받은 적이 있었죠….
심장이 갈기갈기
찢어지고 사지가
떨어져 나가는 것이
그런 아픔이었을까….
움찔…
대체 언제적
얘기를 아직까지
하는 거예요?!

최근 스우 안에서
냉정의 기준이
점점 낮아지고 있다는
생각은 들지 않나요?
내 기준은
지극히
정상이에요!

내가 어제
돌아온 걸 알았으면서
바로 보러 오지
않았잖아요.

…가 봤자
어차피 호국룡과 함께
있었을 거면서.

결국 저한테 이런 첩실 같은 말을 하게 만드는 게 목적인 거죠, 스우는.

그러니까 세 번째, 네 번째 첩까지 생각하기 전에 잘하란…
팡!
끄악!!!!!!!!!!!!
무슨 짓이에요!!!

나도 이제 체통이라는 게 있다고요!!!
그 체통,
저도 최대한 지켜 드리고 싶답니다.

그리 말씀하시니
오늘은 소첩의 침소에
드셔 주시겠죠?

소, 소첩이라니!
농이 과하세요.
누가 들을까
두렵습니다.
무서워!!

일도 많을 텐데
일부러 저까지
신경 쓰지
않으셔도—
아무튼
맨 정신으로
오세요.
술에 취해 오셔도
주독 같은 건 단숨에
풀어 드릴 테니
소용없어요.

오지 않으면 진짜 투기가 뭔지 알게 되실 겁니다.
언제부턴가 대놓고 언짢은 티를 낸단 말이지.

옛날엔 솔직하지 못한 게 귀여웠는데….

그러고 보면 화륜이 지금 몇 살이더라….

아.

사하라 님, 왜 여기까지 나와 계세요?
스우.

금방
돌아올 거라고
린 가주에게
말해 뒀는데요.

스우랑 우연히
마주치려고
기다리고 있었어.

스우,
그거 알아?
인간에게는
우연한 기쁨이라는
것이 있대.
스우와 나는
필연으로 만나서
그 기쁨을
모르는 것 같아서.

우연을
가장한 순간부터
우연이 아니지만….
언제부터
여기 서서
기다리고
있었던 걸까.

이 남자도
최근 들어
부쩍 인간 같은
소리를 한다.
저와 우연히
만나서 뭘 하고
싶으셨는데요?

그냥 스우와
우연히 만나는 것
자체를 해 보고
싶었던 것뿐이야.
보통 인간들은
우연히 만나면
그 후에 뭘 하지?
으음, 글쎄요.
오늘 같은
날이라면….

비가 내리네요.
함께 비 구경이나 할까요?
좋아.

…빗소리가
들린다.

이 땅은
아직도…
잠에서
깨어날 기미가
보이지 않는다.

그렇다면
조금 더
이 꿈속에
머물고
있을 수밖에.

내일은
셋이서 함께 비를
바라보겠지….

「용이 비를 내리는 나라」 마침.
지금까지 사랑해 주셔서 감사합니다.

외전

하아…
다들 사랑이란 뭐라고 생각하세요….

또 차이셨어요? 그 신분으로 그렇게까지 차이고 다니는 것도 재주십니다.
그래!! 그 신분이 문제야! 황태녀라고 밝히면 아무도 날 진심으로 사랑해 주지 않는다고!!!!
이번엔 숨겼는데 차였잖아.
숨겼다고? 대체 누구한테 고백했단 말이냐?

저잣거리 극단에
놈팽이 하나 있어.
허가도 없이
외출을 해? 천자하,
네가 미쳤구나.
이 오라비가
태자일 때는—
호국룡과 함께
외출한 겁니다!
견식을 넓히기 위해!!

오라버니는
가만히 계세요!!
후궁 하나 없으면서
뭘 아신다고!!
이놈이 지금
어느 안전이라고….
그래서
사랑이 뭐라고
생각하냐구,
스우~!!!
만만한 게
저죠….

음~~~…
사랑…
사랑이…~
뭐냐면~~….

사랑은… 곧 인내…. 그냥 내가 참자…의 반복이죠….
해 탈
핫, 이제 10년 좀 더 산 새끼 인간이 뭘 알겠냐.
사랑이란 말이다!!
말에 뼈가 느껴지네요.
섭취야!!
비계든 살코기든 내장이든 다 맛있게 먹는 거지.
천자하.
너도 어느 정도 나이가 찼으니 적당히 노는 것까지 뭐라고 하지 않겠다만.

군주의 사랑은 상대방을 괴롭게 할 수 있으니
가벼이 빠지지 않도록 유념해라.

오라버니의 그 말씀은…
이 자하가 마음에 두는 사람은 불행해진다는 건가요….
뭐, 부마가 적성에 맞는 남자도 있을 테니 잘 고르면 돼.
때가 되면 모후께 긴히 말씀드려 괜찮은 남자로 골라 주마.

예를 들면 훗날 너와 혼인할 남자는 황제의 반려자일 뿐 평생 벼슬길에 오르지 못하겠지.
후궁에 갇혀 자유롭게 살지도 못할 테고.

그럼 그 남자와 번식하면 돼.
사하라 님!!!
우웅….

오라버니도
그럼 그런 것 때문에
후궁을 두지
않으시는 건가요?
그렇지 않습니다.
자하 님.

폐하께서
후궁을 두지 않으시는 건
혹시 모를 일을
대비하기 위해서입니다.
뚜ㅡ웅
제위하시기 전,
형제들 때문에
고생을 많이
하셨거든요.

그런가요….
자하의 사랑을 받는
남자는 결국 평생
궁에 갇혀서 살다
외롭게 죽는 건가요….

그럼 외롭지 않게
자하는 후궁을
삼천 명은 들일래♡

자하가 없어도
자기들끼리 말 타고
사냥하고 차 마시고
재밌게 보내게♡
……자하야,
뇌를 거치고
말하렴.
자, 자하 님은
사랑이 뭐라고
생각하시는데요?!

자하가
생각하기엔
사랑이란….

물 같은 거야.

흘러넘치지만
손안에 쥘 순
없는 거지….
없으면 사흘도
살지 못하는 거야….

천자하.
헛물 그만 켜고
그 시간에 책이나
한 자 더 봐라.
이 오라비가
황자이던 때엔—
사하라 님!!
자하 님 좀
궁으로 데려다드리고
오세요!

달각
하아….

언젠가
저 철없는 것이
즉위할 거라
생각하면…

하나뿐인
누이동생한테
말씀이 심하세요.
음산
어릴 때
라한에 했던 저주가
지금 듣고 있는 게
아닌가 하는 생각이….

그나저나
인내야말로
사랑이라….
앞으로도 마음 놓고
괴롭혀 드려야겠네요.

스우 좀
그만 괴롭혀라,
이 군주놈아!
스우 피골이
상접한 걸 보라고!
뼈도 안 남았어!

그게
누구 때문일까?
네놈 때문이지.
누가 또 있어?
사랑이 무엇인지
알 수 없지만

이미 충분하다.

작가 후기

여러분!! 안녕하세요. 썸머입니다! 먼저 이 책을 구매해 주신 독자님들 진심으로 감사합니다. 드디어 단행본도 완결입니다. 이제야 정말 〈용이 비를 내리는 나라〉를 무사히 마쳤다는 기분이에요.

〈용이 비를 내리는 나라〉를 2022년 5월에 카카오페이지에서 드디어 완결했을 때 기분이 지금도 생생합니다. 하지만 당시에는 연재에 쫓기느라 숨이 턱 끝까지 차 있었기 때문에 숨부터 돌리느라 정신이 없었던 것 같아요.

2018년 새해 첫날 연재를 시작하게 되었을 때 기분 역시 아직도 선명하답니다. 2017년 여름부터 연재를 준비하면서 런칭 직전까지 이거 망하면 어떡하지? (ㅋㅋㅋ) 불안한 마음을 가족들에게 털어놓으면서도 언제나 답은 정해져 있었어요. 어차피 지금 안 해도 언젠가는 한다! 였답니다.

〈용이 비를 내리는 나라〉는 평소 하던 작풍에서 조금 벗어나 상업적으로 성과를 내고 싶다는 야심으로 시작한 작품입니다만, 키워드만(?) 그렇고 전개부터 결말까지 결국 제 취향이 잔뜩 들어간 결과물이 되고 말았습니다….

이렇게 장편이 될 줄 몰랐기 때문에(알았다면 시작하지 못했을지도 모르겠어요) 긴 시간 연재하면서 내가 이것밖에 안 되는 인간이구나를 알아가는 과정이 셀 수 없이 있었습니다. 중간에 손목을 다친 이후로는 자괴감에 빠지기도 했고, 스스로 역량의 한계를 느낀 적도 많았고, 연재 중 일부러 댓글이나 원고를 확인하지 않기도 하면서 벽만 보며 연재한 기간도 꽤 길었어요. 심지어 완결하고도 절대 펼쳐보지 않았고요 (ㅋㅋㅋㅋ).

하지만 단행본을 내는 과정에서 교정고를 확인해야 하니 강제적으로(ㅋㅋㅋ) 처음부터 끝까지 쭉 원고를 다시 볼 수밖에 없었는데, 여유와 냉정(?)을 되찾고 돌아보니 색다르더라고요. 내가 이렇게 했었구나 깜짝깜짝 놀라기도 하고요. 사실 주간 마감은 늘 정신없이 지나가기 때문에 지나고 나면 큼직큼직한 전개 외엔 거의 기억나지 않거든요. 부끄러운 것도 많지만 다시 보니 정말로 당시에 할 수 있는 한에서 나름 열심히 해 보려고 한 게 눈에 띄더라고요.

그리고 무엇보다 스우와 수련, 사하라 모두 정말 고생이 많았다는 생각이 들었어요. 무사히 엔딩을 맞이한 세 사람(한 마리?) 모두 수고했다고 전해 주고 싶습니다. 단행본을 내면서 더더욱 스우와 사하라, 수련과 가까워진 기분이 들었답니다. 정말 정말 귀중하고 소중한 시간이었습니다. 무엇보다 실물 책이라는 형태로 독자님들의 책장에 자리할 수 있게 된 것도 큰 영광입니다.

이렇게 긴 이야기를 끝까지 함께해 주신 독자님들, 마지막으로 이 자리를 빌려 다시 한번 진심으로 감사드립니다. 이 이야기에 등장하는 인물들 모두 인격자와는 거리가 멀어서 불편하신 부분도 있으셨을거라 생각합니다. 하는 짓들이 정말 못났죠…. 그럼에도 불구하고 스우와 수련, 사하라와 끝까지 먼 길을 함께 해 주셔서 감사해요.

독자님들께서 분에 넘치게 보내 주시는 관심과 애정 덕분에 무사히 단행본까지 마무리할 수 있었습니다. 정말 정말 진심으로 감사드립니다. 평생 잊지 못할 거예요. 이렇게 작가라는 직업을 가지고 독자님들과 만나게 되어 큰 힘을 받다니 저는 얼마나 운이 좋은 사람인지요. 염치없지만 부디 어딘가에서 또 다른 이야기로 만나 뵐 수 있다면 정말 기쁠 거예요.

항상 〈용이 비를 내리는 나라〉를 훌륭히 서포트해 주시는 디앤씨 편집부 분들께도 깊이 감사드립니다. 주간 연재에 큰 힘이 되어 주셨던 피디님들, 그리고 어시님들, 특히 3년 가까이 근속해 주시며 자리 지켜 주신 세린 님, 멍 님. 정말로 감사해요. 절대로 저 혼자서는 하지 못했을 거예요.

〈용이 비를 내리는 나라〉와 끝까지 함께해 주신 독자님들, 건강하시고 늘 행복하세요. 연재 내내 고생 많았던 스우, 수련, 사하라도 새로운 라한에서 늘 건강하고 행복하길.

모든 분들께 진심으로 감사합니다.

2023.08.17. 썸머.

초판 발행 2023년 8월 31일

글/그림 썸머

펴낸이 이왕호
본부장 곽혜은
편집팀장 장혜경
책임편집 구유희
표지 디자인 최은아
본문 디자인 SONBOMCOMICS 이다혜
타이틀 디자인 크리에이티브그룹 디헌

국제업무 박진해 김수지 전은지 유자영 박이서 남궁명일
온라인 마케팅 박선혜 김경태 박서희
영업 조은걸
관리 채영은
물류 최준혁

펴낸곳 (주)디앤씨웹툰비즈
출판등록 2020년 12월 9일 제25100-2020-000093호
주소 서울시 구로구 디지털로26길 123 지플러스타워 1305~8호 (08390)
대표전화 (02)853-0360 **팩스** (02)853-0361
전자우편 book@dncwebtoonbiz.com
블로그 blog.naver.com/dncent

ISBN 979-11-6777-132-2 (07810)
979-11-6777-127-8 (set)